LE PARC DE L'HORREUR

R.L. STINE

Catalogage avant publication de Bibliothèque et Archives Canada

Stine, R. L.
Le parc de l'horreur / R.L. Stine; texte français de Marie-Hélène Delval.

(Chair de poule)
Traduction de : Welcome to Horrorland.
Pour les 9-12 ans.
ISBN 0-439-94822-3

I. Delval, Marie-Hélène II. Titre. III. Collection : Stine, R. L. Chair de poule.

PZ23.S85Par 2005 j813'.54 C2005-903059-3

La présente édition a été publiée en 2005 par les Éditions Scholastic, 175 Hillmount Road, Markham (Ontario) L6C 1Z7.

5 4 3 2 1 Imprimé au Canada 05 06 07 08

En franchissant les grilles du parc de l'Horreur, nous ne nous doutions pas que quelques heures plus tard, nous serions tous allongés dans nos cercueils!

Chez nous, dans la famille Morris, j'ai la réputation d'être la plus raisonnable. On me le répète à longueur de journée : « Lise, toi qui es si raisonnable...! »

Aussi vais-je faire de mon mieux pour raconter raisonnablement cette histoire insensée.

Seulement, ça va être difficile...

Nous n'avions absolument pas décidé de nous rendre à ce parc de l'Horreur. Nous ne connaissions même pas son existence. Nous nous étions entassés à cinq dans la petite Toyota de papa pour aller passer la journée au jardin zoologique.

Papa avait oublié la carte à la maison, mais

maman disait que ça ne faisait rien, que nous trouverions facilement, car il y aurait forcément des tas de panneaux indiquant la direction.

Mais nulle part nous n'avons vu le moindre panneau.

Papa conduisait et maman était assise à côté de lui. Moi, j'étais serrée derrière avec mon frère, Luc, qui a dix ans, et son copain Mathieu. Ce n'était pas la place la plus confortable. Mon frère est incapable de rester tranquille une minute, surtout en voiture. Alors, plus notre voyage se prolongeait, plus il devenait agité.

Il finit par entamer une partie de bras de fer avec Mathieu, ce qui n'est pas l'activité idéale en voiture. Après avoir encaissé stoïquement un certain nombre de coups de coude, je finis par perdre patience et leur hurlai de se tenir tranquilles.

— Jouez plutôt à l'Alphabet, suggéra maman. Regardez par la vitre et nommez tout ce qui commence par A, B, C...

— Il n'y a rien à regarder dehors, grommela Mathieu.

C'était vrai.

Nous traversions une immense étendue sablonneuse, totalement désertique. C'était à peine si nous apercevions çà et là quelques maigres buissons.

— Je vais prendre à droite, annonça papa.

Il enleva sa casquette des Cubs de Chicago et gratta vigoureusement sa chevelure blonde, signe manifeste qu'il n'était pas si décidé que ça. En réalité, je crois qu'il ne savait plus du tout où nous étions.

Papa est le seul blond de la famille. Luc et moi, nous avons hérité des cheveux noirs et des yeux bleus de maman. Nous sommes également grands et minces comme elle, alors que papa est un peu... disons, enveloppé! Je le taquine souvent parce que, avec son visage rond presque toujours rose, il ressemble davantage à un lutteur qu'à un gérant de banque, ce qu'il est pourtant!

— On n'est pas déjà passés par ici? demanda-t-il, peu sûr de lui.

— C'est difficile à dire, murmura maman. Il n'y a rien pour se repérer.

— Voilà qui va bien m'aider, grommela papa.

— Il me semble que c'est toi qui as laissé la carte sur la table de la cuisine, répliqua maman.

— Je pensais que tu l'avais prise!

— Et depuis quand est-ce moi qui dois penser à prendre la carte?

Je les interrompis :

— Pas de panique! On va bien finir par trouver un panneau indicateur.

Je sais par expérience que, lorsque papa et maman entament une dispute, mieux vaut les arrêter tout de suite.

C'est ce moment que choisit Luc pour crier :

— Gare à vous, voilà le pinceur fou!

Et avec un ricanement de malade mental, il se jeta sur Mathieu en lui pinçant les côtes et les bras. J'étais bien contente que le pauvre Mathieu soit assis entre Luc et moi, car s'il y a une chose que je ne peux pas supporter, c'est bien le jeu du pinceur fou!

Mathieu se mit à se tortiller en s'étouffant de rire. Il a vraiment l'air de penser que Luc est l'être le plus drôle que la terre ait jamais porté. C'est sans doute pour cela que mon petit frère l'aime tant!

— Lise, rugit papa, fais taire ces deux énergumènes ou je les jette dehors!

— Hé! Je n'y suis pour rien! protestai-je.

Mais je savais que papa n'en avait pas après moi. C'était de ne pas trouver la route du parc zoologique qui le mettait dans cet état.

— Là, cria maman, regardez, un panneau!

— Est-ce qu'il indique la route du parc? demanda Luc.

Papa ralentit. Mais on ne pouvait lire que « PANNEAU À LOUER ».

Tout le monde poussa un soupir de déception.

— Cette route ne mène nulle part, grommela papa. Je vais faire demi-tour et retourner sur l'autoroute.

— On pourrait peut-être demander à quelqu'un, suggéra maman.

— Demander à quelqu'un! explosa papa. Tu vois quelqu'un quelque part à qui on puisse demander quoi que ce soit?

— Je veux dire... murmura maman, si on trouve une station-service...

— Une station-service? reprit papa, hurlant de plus belle. Je ne vois même pas un arbre!

Il avait raison : des deux côtés de la route, on ne voyait que du sable rendu éblouissant comme la neige sous le soleil.

— Alors, on est perdus? demanda timidement Mathieu.

Il y avait de la peur dans sa voix.

Mathieu n'est pas un brave parmi les braves. Il est même très facile à effrayer. Une fois, cachée derrière la haie, je me suis amusée à chuchoter son nom alors qu'il sortait de chez nous à la nuit tombée et il a poussé un cri si strident que le reste de la famille s'est précipité dehors pour voir ce qui se passait!

— On est perdus? demanda Luc à son tour.

— Je le crains, soupira papa.

— Oh! fit seulement Mathieu en se laissant retomber au fond de la banquette.

Il avait l'air si pitoyable qu'il me faisait penser à un ballon en train de se dégonfler.

— Enfin, Jacques, ne dis pas ça! protesta maman.

— Et qu'est-ce que tu veux que je dise? explosa de nouveau papa. Ça fait deux heures que nous roulons sur une route qui ne conduit nulle part!

— Nous allons tous mourir de soif dans le désert, déclama Luc d'une voix tragique, et les vautours viendront dépecer nos cadavres et avaler tout rond nos yeux!

— Arrête, Luc, protesta maman, tu fais peur à ton copain.

— Je n'ai pas peur, assura Mathieu d'une voix qui disait tout le contraire.

Avec ses cheveux blonds très courts et ses yeux clignotant derrière des lunettes rondes, on aurait dit une pauvre petite chouette effrayée.

— Charmante balade! commenta papa, les dents serrées.

— Tu sais, il n'est pas tard, remarqua maman en regardant sa montre. Nous avons le temps de retrouver notre chemin.

Nous suivîmes la route pendant encore près d'une demi-heure avant que le paysage commence à changer. D'abord, quelques arbustes apparurent, puis des champs cultivés. Mais il n'y avait toujours pas le moindre être humain en vue!

— Quelle heure est-il? grogna Luc. J'ai faim, moi!

Poussant un soupir d'exaspération, papa rangea la voiture sur le bas-côté et, se penchant vers maman, fourragea dans la boîte à gants :

— Il y a peut-être une carte là-dedans, non?

— Mais non, assura-t-elle, j'ai déjà regardé.

Ils allaient recommencer à se disputer! Découragée, je m'appuyai sur la banquette, levant les yeux au ciel.

Et je poussai un hurlement.

Juste au-dessus de nous, un monstre hideux s'apprêtait à passer son énorme tête à travers le toit ouvrant!

Une lueur diabolique rougeoyait dans les yeux du monstre et sa bouche se tordait en une grimace de bête affamée.

— Papa! hurlai-je.

— Quoi, Lise, qu'est-ce qu'il y a? dit papa sans même lever la tête.

Ce monstre était gigantesque! Il pouvait avaler la voiture entière avec nous dedans! Mais Luc éclata de rire et je réalisai au même instant que j'avais été terrifiée par une sorte d'énorme mannequin de plastique accolé à un panneau publicitaire. Papa avait arrêté la voiture juste en dessous.

Ouvrant la portière, j'observai le monstre d'un peu plus près. Il secouait régulièrement la tête en ouvrant ses larges mâchoires. J'avais un peu honte d'avoir hurlé de peur comme ça, moi, la raisonnable de la famille.

Mais il avait l'air tellement vrai! Sur le panneau, en grandes lettres rouge sang, on pouvait lire cette invitation :

BIENVENUE AU PARC DE L'HORREUR OÙ VOS PIRES CAUCHEMARS SE RÉALISENT!

En dessous, une flèche indiquait la direction, avec cette précision : deux kilomètres.

— Oh, s'il vous plaît, supplia Luc, on peut y aller?

Attrapant papa par la manche, il se mit à le secouer :

— Hein, papa, on peut? S'il te plaît, dis oui!

— Ça a l'air un peu effrayant, murmura timidement Mathieu.

Papa claqua le petit volet de la boîte à gants et répliqua sèchement :

— Arrête de me secouer comme ça, Luc, et tais-toi un peu.

— On peut y aller, au parc de l'Horreur? répéta Luc plus doucement.

— Le parc de l'Horreur? Qu'est-ce que c'est que ce truc-là? demanda maman.

Papa haussa les épaules :

— Ça vient d'ouvrir, je suppose. Je n'en ai jamais entendu parler.

— Mais ça a l'air chouette, plaida Luc. Et ça

n'est qu'à deux kilomètres!

Le monstre, au-dessus de nos têtes, remuait mécaniquement sa tête de plastique.

— Ça ne m'attire guère, avoua maman. Le jardin zoologique est un si bel endroit!

— Mais on ne sait même pas où il est, ton jardin zoologique! grogna Luc. Et ce parc-là a l'air super!

J'en avais vraiment assez d'avoir roulé pendant des heures sans savoir où nous allions. Aussi je pris son parti :

— Luc a raison! On ne trouvera jamais le jardin zoologique. Pourquoi ne pas aller dans celui-là? Ce sera sûrement amusant!

— Oui, acquiesça prudemment Mathieu, ce sera amusant.

Maman se mordillait les lèvres, indécise. Je suggérai :

— Allons au moins y jeter un coup d'œil. Si ça ne nous plaît pas, on pourra toujours partir!

Papa se frotta longuement le menton. Enfin, il soupira :

— Bon, d'accord. Ça sera toujours mieux que de rester à discuter toute la journée au milieu de nulle part!

— Ouais! cria Luc, triomphant.

J'avoue que j'étais aussi contente que lui.

J'adore les films d'horreur, les trains fantômes et tout ce qui donne des frissons.

— Si leurs attractions sont aussi réussies que le monstre de leur pancarte, ça va être super! m'écriai-je.

— J'espère quand même que ça ne fait pas trop peur, murmura Mathieu.

Je remarquai qu'il se tordait nerveusement les doigts.

— Mais non, l'assurai-je, ça ne fera pas trop peur!

J'ignorais à quel point je me trompais!

— Quelle idée de construire un parc d'attractions dans un endroit pareil! remarqua papa.

Nous traversions maintenant une forêt qui paraissait sans fin. De grands arbres déployaient leurs branches de chaque côté de la route, formant une voûte obscure au-dessus de nous.

— Je me demande si ce parc est déjà ouvert, dit maman pensivement. Ce n'est peut-être encore qu'un projet.

À l'arrière, nous nous taisions, souhaitant que maman se trompe, du moins Luc et moi! Et elle se trompait.

Après un virage, les grandes grilles de l'entrée s'élevèrent devant nous. Derrière de hauts murs peints de la même couleur rouge sang que le panneau, le parc de l'Horreur semblait s'étendre sur des kilomètres. On apercevait le sommet de curieuses constructions et, comme nous pénétrions dans l'énorme stationnement, les accords d'un orgue invisible jouant une musique funèbre parvinrent à nos oreilles.

— Je vous l'avais bien dit que ce serait super! s'écria Luc, enthousiaste.

J'étais tout à fait d'accord avec mon frère. Je n'attendais qu'une chose : descendre de la voiture!

— C'est vraiment bizarre, murmura papa, le stationnement est presque vide...

— Tant mieux, m'exclamai-je, comme ça, on ne fera pas la queue pour entrer!

— Ça a l'air de te plaire, Lise, remarqua maman en souriant.

— À moi aussi! renchérit Luc.

Et il donna un coup de poing sur l'épaule de Mathieu. Il faut toujours que Luc pousse ou pince quelqu'un!

Papa avait raison. Le stationnement était

presque vide. Seules quelques voitures étaient garées près de la grille d'entrée. À l'autre extrémité, un autobus vert portait sur son flanc, en lettres écarlates, les mots « PARC DE L'HORREUR ». Un monstre, semblable à celui qui m'avait fait si peur sur le bord de la route, accueillait les visiteurs à l'entrée en balançant sa grosse tête aux yeux rouges.

Au-dessus de la grille, une immense pancarte annonçait :

LES HORREURS DU PARC DE L'HORREUR VOUS SOUHAITENT LA BIENVENUE!

— *Les Horreurs du parc de l'Horreur*, lut maman à haute voix. Qu'est-ce que cela signifie?

— On verra bien! m'écriai-je, trop contente pour me poser ce genre de question.

Papa gara la voiture à droite de la grille. L'orgue résonnait de façon lugubre à nos oreilles. C'était vraiment génial!

Luc et moi, nous avions jailli de la voiture avant même qu'elle soit totalement arrêtée, criant en même temps :

— On y va!

Tout en courant vers l'entrée, j'examinai le monstre posté là pour nous accueillir. Il paraissait aussi réel que le premier!

Je me retournai vers papa et maman qui s'avançaient avec Mathieu, et leur lançai :

— Dépêchez-vous!

J'avais hâte d'être à l'intérieur.

Alors une terrible explosion me fit sursauter, me coupant net dans mon élan. Pétrifiée, je vis notre voiture éclater en mille morceaux!

Abasourdie, je fixai les petits morceaux de métal tordu parsemés de cendres. C'était tout ce qui restait de notre petite Toyota.

— Mais... mais... bredouilla papa.

— Heureusement que nous n'étions plus à l'intérieur! s'exclama maman. Et que nous sommes tous sains et saufs!

Luc et Mathieu n'avaient encore rien dit. Les yeux écarquillés, ils restaient là à regarder l'endroit où avait été l'auto quelques minutes plus tôt.

— Mon auto! parvint à dire papa, horrifié. Mais qu'est-ce qui s'est passé?

— C'était une explosion terrifiante, murmura maman.

— Il faut absolument que j'appelle la police, dit papa.

Il s'avança vers la grille d'entrée, marmonnant

et secouant la tête.

— Mais comment l'auto a-t-elle pu exploser comme ça? demanda maman, qui trottinait derrière lui.

— Je ne sais pas, moi! s'écria papa en colère. Je ne comprends rien à tout ça. Qu'est-ce qu'on va faire? ajouta-t-il avec une pointe de panique dans la voix.

Je ne pouvais pas le blâmer. J'eus un frisson dans le dos en songeant que nous aurions pu être assis dans la voiture au moment de l'explosion.

— Nous pourrions peut-être appeler une agence de location de voitures, suggéra maman.

Maman et moi, nous nous ressemblons : toujours prêtes à voir le bon côté des choses. Nous nous dirigeâmes vers la caisse située à l'entrée. Elle était tenue par un monstre à la peau verdâtre, avec d'étroits yeux jaunes et deux drôles de petites cornes sur la tête. Il n'y avait rien à dire, le costume était parfait!

— Bienvenue au parc de l'Horreur, dit le monstre d'une voix parfaitement monstrueuse. Les Horreurs du parc de l'Horreur et moi-même, nous vous souhaitons une horrible journée!

— Puis-je utiliser votre téléphone? demanda aussitôt papa. Ma voiture... elle vient d'exploser.

— Je suis désolé, monsieur, répondit le bonhomme en costume d'Horreur, il n'y a pas de téléphone ici.

— Comment ça, pas de téléphone? s'écria papa, le visage tout rouge et le front couvert de sueur. Mais j'ai *besoin* d'un téléphone! Il faut que j'appelle une agence de location. Nous ne pouvons tout de même pas rester coincés ici!

— Ne vous inquiétez pas, répondit l'Horreur en remuant sa grosse tête verdâtre, nous allons nous occuper de tout. Ne laissez pas cet incident gâcher votre visite au parc de l'Horreur!

— Gâcher notre visite! hurla papa. Mais vous ne comprenez donc pas. Je vous dis que ma voiture vient d'exploser.

— J'ai très bien compris, monsieur, répondit l'Horreur.

Un drôle de sourire étirait sa bouche de monstre et ses petits yeux jaunes luisaient d'une étrange lueur. Étourdie par les accords lugubres de l'orgue, j'avais l'impression d'être moi-même une héroïne de film d'épouvante.

L'Horreur reprit dans un murmure :

— Ne vous faites pas de souci, monsieur. Les autres Horreurs et moi-même allons faire le nécessaire.

— C'est que... je ne sais pas... bredouilla encore papa.

L'Horreur désigna l'entrée d'un geste :

— Tenez, pour vous consoler, la visite du parc sera gratuite pour vous aujourd'hui! Je suis désolé de ce qui est arrivé à votre voiture. Mais encore une fois, ne vous inquiétez pas, nous nous en occupons. Entrez, amusez-vous! Nous souhaitons avant tout que nos visiteurs passent une journée de rêve avec nous. Je veux dire de cauchemar, bien entendu, ajouta-t-il avec son rire de monstre.

Papa se tourna vers nous. On pouvait voir la sueur couler sur son visage. Il avait vraiment l'air décontenancé.

— Je... je n'ai guère envie d'aller m'amuser tant que ce problème n'est pas réglé, et...

— Oh, papa, l'interrompit Luc, entrons! Puisqu'il dit que pour nous c'est gratuit et qu'ils vont s'occuper de tout! S'il te plaît, papa!

— Oh oui, entrons! insistai-je à mon tour. Au moins un petit moment!

— Nous avons fait une si longue route! renchérit maman. Entrons, ça fera tellement plaisir aux enfants!

Papa réfléchissait, les sourcils froncés.

— Bon, d'accord, soupira-t-il enfin, mais nous faisons juste un petit tour.

Dès la grille franchie, la musique résonna plus fort.

— Regardez, m'écriai-je, c'est tout à fait un décor de film d'horreur!

Nous marchions dans une ruelle tortueuse, longeant d'étranges maisons sombres et biscornues. Bizarrement, le soleil semblait avoir disparu. L'air était humide et froid, comme dans une crypte. De sinistres hurlements s'élevaient dans le lointain, semblables aux cris des loups.

— Génial! approuva Luc.

On pouvait lire sur une pancarte accrochée :

BIENVENUE AU VILLAGE ABANDONNÉ.
MERCI DE NE PAS NOURRIR
LES LOUPS-GAROUS.
(SI VOUS LE POUVEZ.)

La phrase entre parenthèses nous fit bien rire, Luc et moi.

Soudain, les hurlements se multiplièrent et s'amplifièrent. J'aperçus, derrière une fenêtre, le visage d'une Horreur qui semblait nous guetter. Un peu plus loin, une autre Horreur balançait par les cheveux une tête humaine coupée qui laissait derrière elle des traînées sanguinolentes.

— Génial! répéta Luc.

Ce devait être son mot de la journée! Tout à coup, une bête au pelage gris traversa la ruelle et disparut au coin d'une maison.

— Est-ce que c'était un vrai loup? demanda Mathieu d'une voix peu assurée.

— Bien sûr que non, répondis-je. C'est probablement un grand chien, ou peut-être une sorte de robot.

— En tout cas, déclara maman, ce parc est remarquablement bien tenu. Vous avez vu? Il n'y a pas un papier par terre! C'est vrai que l'endroit n'est pas très fréquenté.

Papa nous suivait en traînant les pieds. Finalement, il lança :

— Écoutez, il faut absolument que je trouve un téléphone. Je ne serai pas tranquille tant que je n'aurai pas trouvé un moyen de rentrer chez nous.

— Mais, Jacques... commença maman.

Il l'interrompit :

— Il y a forcément un téléphone quelque part! Vous n'avez qu'à continuer sans moi.

— Non, non, dit maman, tu es dans un tel état d'énervement que je préfère venir avec toi. D'ailleurs, les enfants s'amuseront beaucoup mieux sans nous.

— Quoi? Tu laisserais les enfants seuls!

— Bien sûr! Que veux-tu qu'il leur arrive dans un parc d'attractions? Nous n'avons qu'à nous donner rendez-vous devant l'entrée dans une heure!

Cette dernière remarque finit par convaincre papa, et nos parents retournèrent vivement sur leurs pas, nous laissant seuls tous les trois.

C'est alors qu'un énorme loup gris s'avança vers nous, la tête basse, les oreilles en arrière. Un grondement hargneux sortait de sa gorge et ses yeux luisants de bête affamée étaient rivés sur nous.

« Que veux-tu qu'il leur arrive? » avait dit maman en partant.

Et elle avait raison. Que pouvait-il bien arriver à des enfants de notre âge dans un parc d'attractions?

Le loup s'avançait lentement, claquant des mâchoires, et un filet de bave coulait entre ses crocs pointus.

— C'est... c'est un vrai! bégaya Mathieu.

Il paraissait terrorisé.

Je le pris par les épaules et le sentis trembler. La bête poussa un long hurlement, puis disparut au coin de la rue.

— Tu vois, le rassurai-je, c'est juste pour l'ambiance. Tu peux me croire, c'est un robot!

— Allons-nous-en d'ici! supplia Mathieu.

— Tiens, remarqua Luc, un autre panneau!

Il courut devant pour aller voir et s'exclama :

— C'est complètement idiot!

Sur le panneau était écrit :

Il EST FORMELLEMENT INTERDIT DE PINCER.

— Eh bien, tu vois, remarquai-je en riant, cet endroit est fait pour toi!

Et je le pinçai.

— Alors quoi! s'énerva-t-il. Tu ne sais donc pas lire?

Luc a un sens de l'humour assez limité. Une Horreur nous observait derrière une fenêtre, et il me sembla que la créature me lançait un regard courroucé.

Un loup-garou hurla, quelque part. Puis nous croisâmes une famille qui descendait la rue, avec une petite fille. Elle pleurait et ses parents faisaient une drôle de tête. Ils devaient regretter d'avoir emmené une enfant si jeune dans un endroit pareil.

— Il y a peut-être des montagnes russes, ou des trucs comme ça? suggéra Mathieu.

— Sûrement! s'écria Luc. Des trucs qui font hyperpeur!

Nous avions traversé le village abandonné et arrivions sur une large place inondée de soleil. La vive lumière nous fit cligner des yeux, après l'obscurité de la ruelle.

Tout autour de la place s'élevaient de hauts bâtiments peints en rouge et vert. Dans un coin, une Horreur au ventre rebondi vendait des cornets de crème glacée. De la crème glacée noire!

— Beurk! fit Luc avec une grimace.

En face de nous, une entrée s'ouvrait dans le flanc d'une montagne élevée, de couleur pourpre.

Un écriteau annonçait :

LA PENTE DU DESTIN

ÊTES-VOUS PRÊTS À LA DESCENDRE À JAMAIS?

— Génial! s'exclama Luc une fois de plus.

— Je vous parie qu'on doit grimper au sommet, dis-je, et glisser jusqu'en bas sur une espèce de toboggan!

— Allez, décida Luc, on y va!

Et il s'élança en courant.

Il faisait très noir, â l'intérieur. Noir et froid. Un escalier assez raide montait en colimaçon jusqu'au sommet. Au-dessus de nous, on entendait des cris aigus et des rires, mais on ne voyait personne, dans cette obscurité. Nous grimpions les marches aussi vite que nous pouvions, essoufflés, mais pressés d'atteindre la plate-forme de départ.

À mi-chemin, un autre panneau prévenait les grimpeurs intrépides :

ATTENTION! VOUS SEREZ PEUT-ÊTRE CELUI QUI GLISSERA POUR L'ÉTERNITÉ!

Les cris stridents de ceux qui s'étaient déjà élancés sur la pente résonnaient, tout proches.

— Ça va, Mathieu? demandai-je.

Son petit visage inquiet faisait une tache pâle, dans l'ombre.

— Ouais, ouais, répondit-il bravement. Je suis déjà monté sur ces espèces de grands toboggans, c'est super!

— Grouillez-vous! cria Luc, au-dessus de nos têtes.

Nous nous trouvions maintenant sur la large plate-forme. Des sortes de caissons numérotés de un à dix étaient engagés dans des rails, prêts à emporter dans une descente vertigineuse les audacieux qui oseraient s'y asseoir.

Dans la faible lueur qui baignait le quai, deux Horreurs attendaient les arrivants. Leurs gros yeux proéminents semblèrent s'allumer quand elles nous virent approcher.

— Ça descend jusqu'en bas? demanda Luc.

Les Horreurs firent oui de la tête.

— Et ça va vraiment vite? demanda Mathieu.

— Oui, assura l'une des Horreurs, ça va vraiment vite et la descente dure... longtemps.

— Soyez prudents, recommanda l'autre Horreur. Et surtout, ne montez pas sur le toboggan du destin!

— Sinon, vous glisserez pour l'éternité! acheva la première, de sa voix lugubre de monstre.

— Génial! dit Luc.

Je me mis à rire avec lui.

Elles jouaient à nous faire peur, c'était évident. D'ailleurs, elles étaient payées pour ça. On était bien dans le parc de l'Horreur, non?

Je choisis le caisson numéro trois, parce que trois est mon chiffre porte-bonheur.

Luc s'assit dans le numéro deux, juste à côté de moi. Quant à Mathieu, après avoir hésité longuement, il se décida pour le dernier, le numéro dix.

Je jetai un regard en arrière pour voir ce que faisaient les Horreurs, mais le caisson où j'étais assise se mit à glisser sur ses rails. Déjà la pente m'avalait.

Je poussai un long cri, les bras en l'air. Je crois que je criai comme ça, sans interruption, du haut jusqu'en bas, et l'écho qui résonnait dans l'obscurité sans fin de la pente du destin me renvoyait mes cris, répétés des dizaines de fois.

Pour ceux qui, comme moi, aiment les sensations fortes, ce toboggan était vraiment l'un des meilleurs du genre! La descente durait,

durait. Les virages se succédaient à une vitesse grandissante. Soudain, je devinai près de moi, dans la pénombre, le caisson de Luc. Il semblait étendu, muet, la bouche ouverte dans un long cri silencieux. Je voulus l'appeler, mais nos circuits se séparèrent.

Je descendais, descendais, toujours plus bas, toujours plus vite. L'obscurité s'était faite si épaisse, maintenant, qu'elle paraissait presque solide.

« Je suis une fusée humaine emportée à la vitesse de la lumière », pensai-je.

Une porte s'ouvrit soudain devant moi. Je me sentis projetée en avant et atterris brutalement sur les fesses, en pleine lumière. Dehors! J'étais dehors!

Une seconde plus tard, Luc tombait à côté de moi comme un sac de farine.

— Aïe! cria-t-il.

Puis, clignant des yeux, il me fit un grand sourire et demanda :

— Où sommes-nous?

— En bas évidemment, dis-je en brossant de la main le fond de mon jean. Superdescente, hein?

— On y retourne? fit-il en me tendant les mains pour que je l'aide à se relever.

— Hé! protestai-je, tu es assez grand pour te lever tout seul!

— Qu'est-ce que tu criais, là-dedans! On n'entendait que toi, se moqua-t-il.

— Je criais exprès! Parce que c'est plus drôle!

— Oui, bien sûr, répliqua Luc.

Il s'était finalement remis sur ses pieds.

— Ouah! j'ai la tête qui tourne! On descendait à quelle vitesse, à ton avis?

Je haussai les épaules :

— Comment veux-tu que je le sache? Très vite, en tout cas!

Soudain, je me retournai, observant les portes d'arrivée. Je venais de prendre conscience qu'il manquait quelqu'un :

— Et Mathieu, où est-il?

— Quoi? fit Luc.

Lui aussi, il avait oublié son ami!

Nous attendîmes un moment sans rien dire, guettant l'ouverture des portes d'arrivée, attendant de voir Mathieu projeté au sol comme nous l'avions été.

Mais Mathieu n'arrivait pas.

— C'est bizarre, ça, murmura Luc. Son toboggan est peut-être moins rapide que les nôtres?

Je secouai la tête d'un air dubitatif. Je me sentais mal à l'aise, tout à coup. J'avais les mains froides et un drôle de poids au milieu de l'estomac.

— Viens, dis-je, allons voir...

— Où veux-tu aller? protesta Luc. Les portes de sortie sont toutes ici, non? Pourquoi est-ce que Mathieu n'arriverait pas là?

— Il manque le numéro dix. Il arrive peut-être de l'autre côté du bâtiment. Allons voir!

Nous courûmes jusqu'à l'entrée. Je m'en voulais presque de me sentir aussi inquiète. Il y avait forcément une explication. Il y avait certainement une porte de sortie ailleurs. Et Mathieu nous attendait quelque part en se faisant du souci parce que nous n'arrivions pas!

Nous traversâmes de nouveau la place où l'Horreur vendait ses cornets de crème glacée noire. Je regardais autour de moi, espérant apercevoir papa et maman, mais ils n'étaient pas là.

Mathieu non plus n'était pas là.

Le poids dans mon estomac s'alourdit.

— Il n'est pas là... murmura Luc. Qu'est-ce qu'on va faire?

Je lus de l'inquiétude au fond de ses yeux. Une

Horreur vêtue de vert se tenait devant l'entrée. Je l'interpellai :

— S'il vous plaît! Avez-vous vu un garçon de dix ans sortir par ici?

Une lueur amusée sembla s'allumer dans les yeux jaunes de la créature.

— Non, répondit-elle. Ici, c'est l'entrée. Alors personne ne sort par ici!

— Il est blond, plutôt grassouillet et il porte des lunettes, l'informai-je sans tenir compte de sa remarque. Il est vêtu d'un t-shirt bleu et d'un short en denim.

L'Horreur secoua la tête :

— Non, personne ne sort par ici, je vous l'ai dit. Avez-vous été voir de l'autre côté? C'est là-bas, la sortie.

— Nous venons de là-bas! cria presque Luc. Il n'est pas sorti!

Je comprenais son énervement, mais il valait mieux garder notre calme. J'expliquai d'une voix aussi normale que possible :

— Nous l'avons attendu, mais nous ne l'avons pas vu sortir. Alors nous avons pensé qu'il nous attendait peut-être ici. Qu'a-t-il bien pu lui arriver?

Le cœur battant, j'attendis la réponse. Mais

l'Horreur nous fixait sans rien dire. Finalement, un chuchotement sortit de la bouche du monstre :

— Votre ami a peut-être choisi la mauvaise pente... la pente du destin...

— Mais... cette pente du destin, c'est une blague! Je veux dire... ça n'existe pas!

L'Horreur me lança un regard indéchiffrable et me répondit par une autre question :

— Vous n'avez pas lu l'avertissement?

Puis le monstre se détourna et pénétra dans l'entrée obscure. Je l'entendis encore ajouter d'une voix glaciale :

— Il y a toujours un avertissement!

Je me tournai vers Luc. Il avait l'air aussi désemparé que moi. J'avais la bouche sèche et les mains glacées.

— C'est complètement idiot! finit par déclarer mon frère. Ils essaient de nous faire peur, c'est tout!

— Évidemment, c'est leur métier!

— On devrait retourner à l'entrée et attendre papa et maman, murmura Luc.

— Quand ils vont découvrir qu'on a perdu Mathieu, on va avoir de sérieux problèmes! Il faut qu'on le retrouve.

— Si on peut... laissa tomber Luc, sinistre.

Non loin de nous, des enfants achetaient des cornets. Des employés armés de grands balais nettoyaient la place. Si la crème glacée n'avait pas été noire, si les employés n'avaient pas porté des costumes de monstres, si on n'avait pas entendu au loin le hurlement des loups-garous, on aurait pu se croire dans un parc d'attractions normal. Bien sûr, celui-ci s'appelait le parc de l'Horreur... Alors que pouvait-on attendre d'autre?

Le soleil tapait très fort, et pourtant j'avais presque froid.

— Mathieu, où es-tu?

J'avais pensé à voix haute.

— Il est en train de glisser, répondit Luc, de glisser pour toujours sur la pente du destin...

— C'est idiot, répliquai-je.

Luc venait de me donner une idée.

— Viens, dis-je en le tirant par la manche.

— Où ça?

— On va s'offrir une autre descente!

— Sans Mathieu? On ne peut pas continuer

sans Mathieu!

Mais je le tirai vers l'entrée obscure :

— On va le retrouver, Mathieu!

— Comment... le retrouver?

À son expression, je vis qu'il commençait à comprendre.

— On va prendre le même chemin que lui, expliquai-je. On va prendre le toboggan numéro dix!

— Le numéro dix, chuchota Luc.

Puis il ajouta d'une voix presque solennelle :

— La pente du destin!

Nous grimpâmes l'escalier en silence. L'écho de nos pas résonnait sous la haute voûte sombre. En passant devant l'écriteau, je ne pus m'empêcher de lire encore une fois le sinistre avertissement :

ATTENTION! VOUS SEREZ PEUT-ÊTRE CELUI QUI GLISSERA POUR L'ÉTERNITÉ!

« Mathieu, pensai-je, as-tu été emporté pour toujours? »

C'était une idée idiote! Nous étions dans un parc d'attractions et c'était juste un truc pour nous donner des frissons!

Les deux Horreurs préposées au départ nous accueillirent sur la plate-forme.

— Choisissez votre numéro, dit l'une.

— Mais attention, choisissez bien! conseilla l'autre d'une voix sinistre.

— Nous voulons monter ensemble, annonçai-je. Dans le toboggan numéro dix!

Luc restait figé; je voyais bien qu'il avait peur. Il me tira par le bras, murmurant :

— On... on ne devrait peut-être pas faire ça...

— Et pourquoi pas?

— Mais... si l'avertissement était vrai?

— Ne sois pas stupide! On est dans un parc d'attractions, non? Tout ça, c'est pour rire! Allez, viens, il faut qu'on retrouve Mathieu.

Je m'assis sur le siège avant. Luc se glissa derrière moi et m'agrippa par la taille.

Le caisson se mit à glisser, puis il prit de la vitesse.

— Nous voilà, Mathieu! lançai-je pour le prévenir.

7

Cette fois, je ne criai pas. Je croisai mes bras sur ma poitrine et serrai les dents. Je ne pensais plus qu'à une chose : voir où menait cette pente-là et résoudre le mystère de la disparition de Mathieu. Je sentais les mains de Luc qui s'agrippaient à moi. Lui non plus ne criait pas.

Mais, brusquement, le toboggan plongea presque à pic et nous nous mîmes à hurler tous les deux en même temps. Nous ne descendions plus, nous tombions, dans une obscurité totale. Luc serrait ma taille si fort que j'en avais le souffle coupé.

Plus profond! Plus vite!

Nous devions être presque en bas, maintenant, nous glissions depuis si longtemps... Je me préparais à une arrivée brutale sur le sol quand la porte de sortie s'ouvrirait devant moi. Mais aucune porte ne s'ouvrait. Notre descente n'en finissait pas...

L'air lui-même me semblait difficile à respirer, chaud et humide, épais comme cette obscurité où nous étions noyés. J'entendis Luc me crier à l'oreille :

— On ne va jamais en sortir!

Notre caisson se mit alors à rebondir sur des bosses, nous secouant comme des paquets. Puis, quelque chose nous balaya le visage.

— Aaaah! cria Luc, qu'est-ce que c'est?

— Des toiles d'araignée! Du moins, je crois...

De mes mains tremblantes, je tentais désespérément d'écarter ces choses moites et poisseuses qui s'accrochaient à mes cheveux et se collaient à mes joues.

Et notre descente continuait...

Soudain, une lumière aveuglante me fit fermer les yeux. Était-ce le soleil? Étions-nous enfin arrivés?

Je me forçai à rouvrir les yeux.

Le feu! C'était un rideau de flammes qui nous fermait le passage!

Je couvris mon visage de mes mains et me mis à hurler de terreur.

— Au secours! cria Luc derrière moi. Au secours, on va brûler!

Une chaleur suffocante nous environna.

« Nous brûlons! » pensai-je.

Et aussitôt je sentis un souffle d'air frais. Je dégageai mes mains de mon visage. Le rideau de flammes était loin derrière nous. Nous l'avions traversé!

Le toboggan nous entraînait maintenant de courbe en courbe. Je sentais les violents battements de mon cœur s'apaiser peu à peu.

— Génial, leurs effets spéciaux! cria Luc dans mon dos, secoué par un rire nerveux.

Je n'avais jamais entendu mon frère rire comme ça!

Je comprenais maintenant que nous n'avions pas traversé un vrai feu. C'était probablement un simple effet de lumière créé par des projecteurs. Mais je devais bien l'avouer, j'avais eu la peur de ma vie!

— Quand est-ce qu'on arrive? cria Luc.

« Jamais! pensai-je avec un frisson. Peut-être sommes-nous emportés à jamais sur cette pente infernale! »

À ce moment, une porte s'ouvrit devant nous. La lumière, la vraie lumière du jour, m'éblouit.

BOUM!

J'atterris rudement sur l'herbe.

BOUM!

Mon frère venait de tomber à son tour.

Je battis des paupières, attendant que mes yeux se réhabituent à l'éclat du soleil.

Puis je sautai sur mes pieds.

Juste devant moi, un écriteau était accroché à un poteau de bois :

ICI DOIT S'ACCOMPLIR VOTRE DESTIN.

À côté du poteau se tenait Mathieu.

Il courut vers nous, un large sourire fendant sa bonne grosse figure aux joues roses.

— Vous voilà enfin! Ça fait mille heures que je vous attends!

— C'est plutôt à toi qu'on devrait dire ça, répliquai-je. Où étais-tu passé?

— J'étais là! Je vous attendais!

— Nous, on est d'abord tombés d'un autre côté, expliqua Luc. Comme tu n'arrivais pas, on est remontés sur le toboggan, et on a pris le même caisson que toi, le numéro dix. Quelle glissade! C'était génial!

J'avais parfaitement entendu Luc hurler de terreur pendant la descente, et maintenant il prétendait que c'était génial! Décidément, il ne changerait jamais.

— Moi, avoua Mathieu, j'ai eu très peur! Surtout quand j'ai traversé le mur de flammes!

— Des effets spéciaux, voyons! répliqua Luc. Ce parc est vraiment super!

L'enthousiasme de mon frère m'agaçait un peu, même si, finalement, je préférais le voir comme ça plutôt qu'avec sa mine terrifiée. Je regardai autour de moi, tentant de m'orienter, mais je ne reconnus rien. Nous avions atterri dans une autre partie du parc. J'aperçus alors un groupe d'enfants en maillot de bain qui remontaient en riant un sentier sablonneux. À l'embranchement de ce sentier, un panneau avec une flèche indiquait :

LES RAPIDES DE LA MORT.

À notre droite, un vaste bâtiment carré aux murs entièrement vitrés étincelait au soleil. Clignant des yeux, je réussis à lire, au-dessus de la porte :

LA MAISON DES MIROIRS.

Luc avait suivi mon regard :

— Ouais, s'écria-t-il, génial! Viens, Mathieu, on va à la maison des miroirs!

— Hé, protestai-je, attends une minute! Tu ne penses pas qu'on devrait retrouver papa et maman?

— Ils sont de l'autre côté! Allez, viens, on fait encore ce truc-là, et après on y va.

Déjà, il entraînait Mathieu.

— Mais je suis sûre qu'ils nous attendent! grognai-je.

— De toute façon, il n'y a pas foule dans ce parc, répliqua Luc. Ils finiront bien par nous retrouver. Allez viens, Lise, on va s'amuser!

J'hésitais, pensant à nos pauvres parents qui commençaient peut-être à s'inquiéter. Soudain, je sentis qu'on me tapait sur l'épaule. Je me retournai. Une Horreur en costume vert plongeait ses yeux jaunes dans les miens. Elle se pencha vers moi et murmura :

— Partez, pendant qu'il en est encore temps...

Elle tourna rapidement la tête de droite à gauche, comme pour être sûre que personne ne nous observait, puis elle ajouta :

— Je parle sérieusement. Quittez cet endroit, avant qu'il soit trop tard...

Abasourdie, je la regardai s'éloigner de son pas lourd, sa longue queue de monstre balayant le sol derrière elle.

— Qu'est-ce qu'elle voulait? interrogea Mathieu.

Les deux garçons, qui étaient sur le point de pénétrer dans la maison des miroirs, s'étaient arrêtés pour m'attendre.

— Oh rien... elle... elle nous conseillait de partir d'ici avant qu'il soit trop tard!

Luc se mit à rire :

— Ces Horreurs font vraiment bien leur travail! Elles ne ratent pas une occasion pour tenter de nous effrayer!

Derrière ses lunettes, Mathieu ouvrit des yeux inquiets.

— Mais... est-ce que c'était une plaisanterie?

— Je suppose que oui.

J'avais répondu cela pour le rassurer, mais j'étais loin d'en être convaincue.

— Moi, je vous dis que c'est leur travail! s'écria Luc.

Et envoyant une bourrade dans le dos de son copain, il lança :

— Il est super, ce parc! Et on aime avoir peur, non?

— Ouais! murmura Mathieu.

Mais il n'avait pas l'air d'en être si sûr que ça!

— Dépêchons-nous d'entrer alors, reprit Luc, sinon, papa et maman vont nous rattraper et ils voudront sans doute retourner à la maison. On n'aura plus le temps de s'amuser!

Devant la porte, je m'arrêtai un instant pour lire l'avertissement écrit sur un panneau :

MAISON DES MIROIRS. RÉFLÉCHISSEZ AVANT D'ENTRER. PERSONNE, PEUT-ÊTRE, NE VOUS REVERRA.

— Hé, criai-je, attendez-moi!

Les deux garçons avaient déjà été avalés par la bouche noire de l'entrée.

Je pénétrai à mon tour dans un étroit tunnel. Quand mes yeux se furent habitués à l'obscurité qui y régnait, je cherchai des yeux mon frère et son ami. J'étais seule. Ils avaient disparu!

— Luc! Mathieu! Attendez-moi!

L'écho répéta plusieurs fois mon appel, mais personne ne me répondit. Je n'entendis que leurs rires, quelque part, loin devant. J'avançai à tâtons et arrivai dans un long couloir dont les murs et le plafond étaient recouverts de miroirs.

— Oh!

Un cri m'avait échappé. J'avais été surprise par mon propre reflet. Mon image, reproduite des dizaines de fois, devant moi, autour de moi, au-dessus de moi, bougeait à chacun de mes mouvements!

J'appelai encore :

— Luc! Mathieu! Attendez-moi!

Et ma bouche s'ouvrait et se fermait des dizaines, des centaines de fois!

Un rire moqueur me répondit :

— Trouve-nous, si tu peux!

La voix de Luc semblait rebondir de miroir en miroir. J'avançai prudemment. Le couloir tourna vers la droite, puis vers la gauche. Et mes reflets m'accompagnaient, moi, moi, moi, reproduite à l'infini...

— Hé! Ne partez pas trop loin!

J'entendis à nouveau leurs rires, puis un bruit de pas qui paraissait venir de l'autre côté du mur de miroirs.

Je continuai d'avancer, doucement, un pas après l'autre. Alors je distinguai une ouverture sur le côté.

— Attendez-moi, j'arrive! criai-je.

Je me lançai vers l'ouverture et BOUM! mon front heurta durement une solide paroi de verre.

— Aïe!

Le choc courut douloureusement tout le long de ma colonne vertébrale. Étourdie, j'appuyai mes mains contre la vitre pour ne pas tomber. Quelque part, la voix de Luc retentit :

— Où es-tu, Lise?

— Je me suis assommée! lui criai-je.

Leurs rires retentirent de nouveau. Mais maintenant, ils me semblaient venir de derrière. Je me retournai pour découvrir que, devant moi, il n'y avait que des miroirs, réfléchissant inlassablement mon image.

Je repartis prudemment, les mains tendues pour ne pas me cogner encore une fois. Après un tournant, je pénétrai dans une salle où les murs, le plafond et même le sol étaient des miroirs. Je fis quelques pas, mais je fus prise de vertige. C'était si étrange de marcher sur son propre reflet!

J'appelai encore une fois :

— Hé, les garçons! Où êtes-vous?

Cette fois, personne ne répondit. Une sensation bizarre me tordit l'estomac. Quelque chose qui ressemblait à de la peur.

— Luc! Mathieu! Répondez-moi!

Des milliers de bouches répétaient mon appel à l'infini. Mais on ne me répondait toujours pas.

— Luc! Mathieu! Dites quelque chose. Ce n'est pas drôle!

Silence.

— Luc! Mathieu!

Je regardai autour de moi. Des dizaines et des dizaines de reflets en firent autant.

Ils semblaient tous terrifiés.

Les garçons avaient-ils vraiment disparu? Étaient-ils tombés dans une trappe? Avaient-ils été avalés par quelque miroir secret? J'aime bien avoir un peu peur, mais dans ce parc de l'Horreur, on ne savait jamais exactement si les dangers qu'on affrontait étaient réels ou si c'était pour rire.

— Luc? Mathieu?

Tout en cherchant désespérément une issue, j'appelai encore, d'une voix tremblante. Mais personne ne répondit.

Soudain, j'entendis l'écho d'un rire, puis des voix chuchotantes.

Ce rire de nouveau! Pas de doute, c'était bien celui de Luc! Ils étaient en train de se payer ma tête, tous les deux!

— Je ne vous trouve pas drôles! criai-je, en colère. Pas drôles du tout!

Cette fois, ils éclatèrent carrément de rire :

— Et tu ne nous trouveras pas non plus! se moqua Luc.

Sa voix résonnait tout près, juste devant moi. Suivant de la main le mur de miroir, j'avançai lentement le long du couloir. Finalement, je me trouvai devant une ouverture étroite et si basse que je dus me courber pour passer.

Je pénétrai alors dans une autre salle où les miroirs formaient des angles, si bien que mes reflets semblaient s'encastrer les uns dans les autres à chacun de mes mouvements.

— Où êtes-vous? Répondez-moi! Est-ce que je me rapproche de vous?

La lumière se mit à baisser, mes reflets s'assombrirent, mon ombre s'allongea sur le sol. Quelque part, Mathieu cria :

— On ne peut pas te voir!

— Dépêche-toi! ajouta Luc, d'une voix impatiente.

— Restez où vous êtes! Je vais bien finir par vous trouver!

— D'accord, répondit Luc, on t'attend.

J'entendis Mathieu murmurer :

— On n'arrivera jamais à trouver la sortie!

BANG!

Pour la deuxième fois, je m'assommai contre une vitre. Je m'étais fait mal et j'en avais plus qu'assez de cet endroit. Comme parc de loisirs, on pouvait trouver mieux!

— Dépêche-toi, appela Luc tout près, on en a assez de t'attendre!

Je trouvai enfin un autre couloir qui me mena dans une autre salle aux murs de verre, mais dépourvue de miroirs. Luc était là!

— Eh bien, ce n'est pas trop tôt! Qu'est-ce que tu fabriquais?

— Je m'amusais à me cogner la tête ici et là, dis-je, sarcastique.

Puis j'ajoutai :

— Où est Mathieu?

— Mathieu? Il est...

Luc resta la bouche ouverte :

— Je ne comprends pas! Il était à côté de moi il y a un instant!

— Oh, ça va, m'énervai-je, je ne suis plus d'humeur à supporter vos blagues idiotes!

Et j'appelai d'une voix quelque peu irritée :

— Mathieu? Sors de ta cachette!

— Mais je ne me cache pas, répondit Mathieu, je suis là!

J'avançai d'un pas... et je le vis.

Il se tenait dans l'ombre, derrière un mur de verre, les paumes appuyées contre la vitre.

— Qu'est-ce que tu fais là? s'étonna Luc.

Mathieu haussa les épaules :

— Je n'arrive pas à trouver le passage.

Je me tournai vers mon frère. Et, soudain, je réalisai que lui aussi était enfermé derrière un mur de verre.

— Bon! Alors, comment on peut se rejoindre? demandai-je.

— Comment ça? fit Luc, étonné.

— Tu vois bien qu'on n'est pas dans la même pièce!

Je frappai du poing la paroi de verre. Les yeux de Luc s'agrandirent de surprise. S'avançant vers moi, il frappa à son tour contre la vitre comme pour vérifier son existence. De son côté, Mathieu faisait le tour de sa prison de verre, promenant ses mains sur la vitre dans l'espoir de trouver un passage. J'ordonnai à Luc :

— Ne bouge pas, je vais essayer de passer de ton côté.

Suivant l'exemple de Mathieu, je fis lentement le tour de la petite salle. La lumière était si faible que la vitre me renvoyait mon image, un visage très pâle où deux yeux effrayés me fixaient intensément.

Je fis le tour complet. Il n'y avait pas la moindre ouverture.

La voix de Mathieu s'éleva, aiguë, terrifiée :

— Je suis enfermé là-dedans!

Je murmurai :

— Moi aussi.

— Il y a forcément une sortie, intervint Luc. Réfléchissons, par où sommes-nous arrivés?

— Tu as raison, approuvai-je.

Et je recommençai méthodiquement ma recherche à tâtons. Mon cœur s'était mis à battre un peu trop fort. Pourtant, il devait bien y avoir une ouverture quelque part...

Luc tournait lui aussi, comme une bête en cage, tapant frénétiquement des deux poings contre les murs de verre. Mathieu, de son côté, appuyait de toutes ses forces contre les parois comme pour les forcer à s'ouvrir.

Je fis deux fois le tour de ma prison. Il n'y avait aucune issue.

— Je suis enfermée, constatai-je. Enfermée dans une boîte de verre!

— Nous sommes tous enfermés! dit Mathieu d'une voix tremblotante.

Il commença à sangloter. Luc continuait de

tambouriner furieusement contre les parois. Je criai :

— Arrête! Ça ne sert à rien!

Il laissa retomber ses bras :

— C'est complètement idiot! Il y a *forcément* une sortie.

J'eus soudain une idée :

— Il y a peut-être une trappe?

Et je me laissai tomber à quatre pattes pour explorer le plancher. Mais je ne trouvai rien.

— Ce n'est pas drôle, leur truc! gémis-je.

Luc et Mathieu approuvèrent en silence. Je voyais bien qu'ils avaient peur, aussi peur que moi. Mais j'étais l'aînée, je devais me montrer la plus brave. Retenant avec peine un soupir de découragement, je m'appuyai contre le mur de verre qui me séparait de Luc.

Et le mur bougea.

Je me jetai en arrière en poussant un cri. Le mur glissait lentement vers moi. Tous les murs se rapprochaient!

— Luc! Qu'est-ce qui se passe?

Je vis qu'il reculait lui aussi, terrifié. Et Mathieu hurlait :

— Les murs! Au secours!

Dans un élan désespéré, je me jetai de toutes

mes forces contre la paroi. Mais le piège se refermait lentement, lentement...

Nous allions être écrasés tous les trois, comme des insectes entre des lames de verre!

— Au secours! hurlait Mathieu. Au secours!

Luc, arc-bouté contre la vitre, luttait de toutes ses forces pour arrêter son avancée. En vain. Les murs de verre continuaient leur progression lente, silencieuse, inexorable.

— Faites quelque chose, sanglotait Mathieu, faites quelque chose, je vous en supplie!

Mais il n'y avait rien à faire.

— Le mur! hurla Luc. Le mur m'écrase!

— Je ne peux plus bouger! lui criai-je en réponse.

Désespérément, j'essayai encore d'appeler :

— À l'aide!

Mais ma voix était si faible... Qui aurait bien pu l'entendre?

Je tentai d'aspirer un peu d'air, mais déjà, je perdais le souffle. J'haletai, la bouche ouverte, comme un poisson hors de l'eau.

L'image de ces vieilles voitures compressées entre les mâchoires d'une énorme machine et réduites à un simple cube de tôle me traversa l'esprit.

« C'est à cela que je ressemblerai dans un instant, à un cube. Un cube de chair et d'os... »

Je n'entendais plus les voix de Luc et de Mathieu. Je n'entendais plus que ma respiration haletante et les battements sourds de mon cœur.

Tout était fini. Je fermai les yeux et j'attendis. Alors le sol se déroba sous mes pieds.

Je me sentis tomber... Je rouvris les yeux juste à temps pour voir le plancher de verre qui se refermait au-dessus de ma tête.

Je glissais, glissais, glissais sur une pente vertigineuse.

Quelques secondes plus tard, j'étais éjectée à l'extérieur et atterrissais sur une pelouse épaisse comme un coussin.

Luc et Mathieu tombèrent presque en même temps à côté de moi.

Nous restâmes assis là un long moment, clignant des yeux dans le soleil, incrédules.

Finalement, Mathieu rompit le silence :

— On n'a rien! On est vivants!

Il se remit lentement sur ses pieds et rajusta ses lunettes.

Luc se mit à hurler de rire, se tenant les côtes, se roulant par terre.

Je me contentai de respirer largement. Je n'avais pas vraiment envie de sauter de joie; j'avais encore dans la tête l'image d'un cube de tôle ou de...

Luc, me tirant par les mains, m'obligea à me relever.

— Bon, déclara-t-il, qu'est-ce qu'on essaie maintenant?

— Qu'est-ce qu'on essaie? Ne me dis pas que tu veux continuer à... à...

On venait à peine d'échapper à l'écrasement total, et mon frère voulait déjà essayer autre chose!

— La maison des miroirs, c'était génial! prétendit-il. Ça faisait vraiment peur!

— Ça faisait *beaucoup trop* peur! protesta Mathieu en secouant la tête.

— Mathieu a raison, acquiesçai-je. Ça faisait beaucoup trop peur pour que ce soit drôle! Une seconde de plus et...

— Justement, s'écria Luc, c'est ça le truc

génial! Tout est parfaitement calculé! On croit sa dernière heure arrivée, et puis hop! on se retrouve là, au soleil!

— Tu as peut-être raison, murmura Mathieu, mais tout de même...

— On ne risque jamais d'être blessés, reprit Luc. C'est un parc de loisirs! Ils ont sûrement envie qu'on revienne et qu'on amène nos amis! Alors ils ne vont pas nous faire de mal, c'est sûr!

— Mais, Luc, tentai-je de protester, si quelque chose ne marchait pas? Si une de leurs machines se détraquait? Imagine ce qui serait arrivé tout à l'heure, si la trappe ne s'était pas ouverte à temps...

Luc ne répondit pas. Manifestement, mon argument le faisait réfléchir. Il finit par hausser les épaules :

— Tu penses bien que tout est parfaitement surveillé!

— Parfaitement... sans doute... répliquai-je en roulant les yeux.

Mathieu demanda gravement :

— Est-ce qu'on peut *mourir* de peur? J'ai lu des histoires comme ça, dans des livres. Mais est-ce que ça peut vraiment arriver?

— Je ne sais pas, avouai-je. Peut-être...

— Je crois que cela pourrait arriver, dans la maison des miroirs... reprit Mathieu.

— Penses-tu! s'écria Luc. C'est un endroit pour s'amuser, ici! Et on s'amuse à avoir peur, c'est tout!

Comme il regardait quelque chose derrière moi, je me retournai.

Un type en costume d'Horreur passait dans l'allée, portant une grappe de ballons noirs ornés de têtes de mort.

Luc s'élança derrière lui :

— Hé, monsieur, est-ce que quelqu'un est mort ici? Est-ce que c'est arrivé?

L'Horreur continua du même pas tranquille et répondit sans s'arrêter :

— Une fois.

— Une personne est morte ici?

L'Horreur secoua sa grosse tête :

— Non, ce n'est pas ce que je veux dire.

— Alors, qu'est-ce que vous voulez dire?

— Ici, répondit l'Horreur, on ne peut mourir qu'une fois. Personne n'est jamais mort deux fois...

— Ça veut dire que des gens sont morts, ici?

J'avais crié plus fort que je n'aurais voulu. Mais l'Horreur continua son chemin sans me répondre, ses macabres ballons flottant au-dessus de sa tête.

« Ici, on ne peut mourir qu'une fois... »

À la réponse du monstre, un frisson m'avait parcouru le dos. Ce n'étaient pas seulement les mots, c'était le ton glacé de sa voix. Cela sonnait comme un avertissement.

— Il blague, hein? demanda Mathieu d'une voix tremblante en se grattant nerveusement la tête.

— Évidemment, le rassurai-je.

Une famille se dirigeait vers la maison des miroirs, le père, la mère et deux petits garçons d'environ cinq et six ans. Les enfants pleuraient.

— On voit beaucoup d'enfants qui pleurent,

ici! remarquai-je.

Luc haussa les épaules :

— Ce n'est pas un endroit pour les petits poussins craintifs! Bon, on cherche autre chose?

— Non, dis-je fermement. Cette fois, il faut vraiment retrouver papa et maman!

— Oui, ils doivent nous attendre! renchérit Mathieu.

Il faisait tout ce qu'il pouvait pour ne pas montrer sa peur.

— On a le temps! protesta Luc. Ils nous retrouveront bien, eux!

Je ne voulais pas céder.

— Ils sont sûrement en train de s'inquiéter!

Et je remontai d'un pas décidé l'allée qui me paraissait conduire vers l'entrée.

Luc bougonna, mais me suivit. Mathieu, visiblement soulagé, vint marcher à mon côté. L'allée s'enfonçait sous de grands arbres au feuillage épais. Leur ombre nous enveloppa. Un panneau annonçait :

PRENEZ GARDE AUX SERPENTS.

Instinctivement, Mathieu se protégea la tête avec ses bras et tous trois nous levâmes les yeux vers les branches.

Y avait-il vraiment des serpents, là-dedans? Il

faisait trop sombre pour qu'on puisse distinguer quoi que ce soit.

Soudain, j'entendis une sorte de sifflement. Le chuchotement des feuilles?

Mais le bruit grandit, enfla. Et bientôt on eut l'impression que chaque branche d'arbre sifflait au-dessus de nos têtes.

— Courez! ordonnai-je.

Et nous nous élançâmes droit devant nous, courant de toutes nos forces. Sur une branche basse, il me sembla voir glisser les anneaux d'un long serpent noir. « Ce n'est sans doute qu'une ombre », pensai-je.

Nous nous arrêtâmes, une fois le couvert des arbres passé, quand le soleil enveloppa de nouveau nos épaules de sa rassurante chaleur. Nous marchions à présent entre deux rangées d'affreuses statues représentant des monstres grimaçants, aux longs crocs acérés. Leurs bras de pierre s'allongeaient comme pour saisir les passants qui se risqueraient assez près.

Un rire sardonique s'éleva quelque part, un rire à vous faire froid dans le dos.

— Ça... ça vient des statues! bégaya Mathieu.

Les statues avaient-elles bougé? Avaient-elles tendu vers nous leurs longs doigts griffus?

Avaient-elles cherché à nous agripper? Je n'en étais pas sûre, mais...

Les mains plaquées sur mes oreilles pour ne plus entendre ces rires diaboliques, je fonçai droit devant. Je ralentis seulement lorsque le sentier redevint une banale allée de sable serpentant entre des pelouses normales.

Bientôt, nous rencontrâmes un autre panneau en forme de flèche. Une direction était indiquée :

SORTIE PRINCIPALE. RIEN NE SERT D'ESSAYER. VOUS NE VOUS ÉCHAPPEREZ PAS D'ICI.

Je lus aussitôt la peur sur le visage blême de Mathieu.

— Ils sont très doués pour l'humour noir, dans ce parc! m'écriai-je d'une voix aussi enjouée que possible.

Il rit sans conviction.

— Venez, les gars, dis-je. Papa et maman doivent nous attendre.

L'allée longeait maintenant un vaste parterre de fleurs. Des fleurs noires! Elle nous mena à l'entrée d'une construction de bois, une sorte de grange peinte en rouge.

Les garçons s'avancèrent et je restai en arrière, cherchant des yeux un sentier qui contournerait le bâtiment. Je n'en vis aucun. D'épaisses broussailles, de chaque côté des murs, interdisaient tout passage.

— Nous n'avons pas le choix, intervint Luc. Il faut traverser cette grange. Viens, Lise!

C'est à ce moment que je remarquai un écriteau à droite de la porte :

GRANGE DES CHAUVES-SOURIS.

Je m'arrêtai net :

— Vous croyez qu'il y a des chauves-souris, là-dedans?

J'aime beaucoup les animaux, mais j'ai horreur des chauves-souris. Ces bêtes-là me donnent la chair de poule.

Luc avait déjà pénétré à l'intérieur. Il cria :

— Je n'en vois pas! Tu peux venir, Lise. L'allée ressort de l'autre côté, il faut juste traverser le bâtiment.

J'avançai prudemment jusqu'à l'entrée. Il faisait très sombre, à l'intérieur, et ça sentait le moisi.

— Tout a l'air normal, murmura Mathieu.

— Vous pouvez venir, cria Luc, je ne vois pas de chauves-souris!

La porte, de l'autre côté, était ouverte. Je voyais très bien le rectangle de lumière claire qui se découpait contre l'un des murs obscurs de la grange. Traverser en courant ne nous prendrait que quelques secondes...

— On y va! dit Mathieu, pour se donner du courage.

Je pris une profonde inspiration, et tous les deux, nous nous élançâmes.

Soudain, devant nous, la porte de sortie se referma.

Poussant une exclamation de surprise, je me retournai vers la porte par laquelle nous étions entrés.

Elle s'était refermée, elle aussi. Nous étions pris au piège.

— Mais... qu'est-ce qui se passe? demanda Mathieu, angoissé.

L'obscurité était totale, plus noire que la nuit la plus noire. L'odeur de moisissure me donnait mal au cœur.

Puis je reconnus l'horrible bruit, semblable à du papier qu'on froisse. Un battement d'ailes...

Quelque chose effleura mon front et je me mis à hurler.

— Allez-vous-en!

J'agitai fébrilement mes mains au-dessus de ma tête pour chasser ces horribles bêtes aux ailes de démon.

Le battement s'éloigna un instant, puis revint.

— Les chauves-souris! hurla Mathieu. Elles nous attaquent!

Il avait agrippé mon bras et le serrait à me faire mal.

— On n'y voit rien, cria Luc, il fait trop noir!

L'air bougeait autour de moi, remué par des ailes invisibles.

La grange résonnait maintenant d'un bruit de linge claquant dans le vent. Peu à peu, mes yeux s'habituaient à l'obscurité. Je distinguais autour de nous des centaines, des milliers peut-être, de petites ombres tourbillonnantes.

L'une d'elles frôla mon épaule, et une autre,

mon front.

— Non! Non! gémissait Mathieu à côté de moi.

Les jambes tremblantes, je tentai de courir vers la porte de sortie en protégeant mon visage.

Quelque chose s'accrocha à mes cheveux. Des ailes battantes me frappèrent la joue et un cri aigu résonna à mon oreille.

— J'en ai une prise dans mes cheveux! hurlai-je.

Je me laissai tomber sur les genoux, agitant une nouvelle fois les mains au-dessus de ma tête. Je touchai un corps chaud et velu, minuscule, des ailes membraneuses qui s'agitaient follement.

— Au secours!

La grange tout entière semblait devenue vivante, habitée d'ombres insaisissables et palpitantes. Je suppliai :

— Laissez-nous sortir! S'il vous plaît, laissez-nous sortir!

Mais il n'y avait personne pour entendre mes cris.

Tremblante, sanglotante, j'avais du mal à respirer. J'entendais Luc appeler, loin, loin de moi, comme si un épais rideau d'affreuses créatures ailées nous séparait.

Puis, brusquement, la lumière du soleil nous éblouit. La porte de la grange s'était ouverte sans bruit. Luc se tenait devant l'ouverture, stupéfait :

— J'ai... j'ai juste frôlé le battant, et la porte s'est ouverte!

Mathieu, les cheveux dans tous les sens et les lunettes de travers, clignait des yeux en regardant autour de lui :

— Où sont passées les chauves-souris?

Lentement, je me remis sur mes pieds, peignant, à l'aide de mes doigts, mes mèches ébouriffées. Il n'y avait plus trace des chauves-souris.

— Sortons d'ici! dis-je dans un souffle.

Que la chaleur du soleil sur nos épaules paraissait douce après cette obscurité humide et malodorante!

— Je déteste les chauves-souris! grommelai-je avec un dernier frisson.

— Mais il n'y avait pas de chauves-souris! déclara Luc avec un grand sourire.

— Comment ça? protesta Mathieu. C'étaient bien des chauves-souris! On les entendait, on les sentait!

— C'étaient des effets spéciaux! lança Luc.

— Et quand l'une d'elles s'est prise dans mes cheveux, grondai-je, c'étaient des effets spéciaux, peut-être?

— Bien sûr! Très au point, d'ailleurs! J'ai failli m'y laisser prendre, moi aussi!

— Tu as failli...?

Hors de moi, je fis mine de lui tordre le cou.

— Ne nous raconte pas d'histoires! Tu crois peut-être que je ne t'ai pas entendu crier? Tu étais aussi terrorisé que nous! C'étaient de vraies chauves-souris, pas des effets spéciaux!

— Alors comment se fait-il qu'elles aient disparu comme par enchantement quand la porte s'est ouverte?

Mathieu nous interrompit :

— Ne parlons plus de ça! Allons retrouver vos parents!

— D'accord, d'accord, soupirai-je.

Luc me tira la langue, mais je décidai de l'ignorer.

Deux Horreurs marchaient sur le sentier en bavardant.

— C'est bien par là, l'entrée principale? leur demandai-je.

Elles nous dépassèrent sans me répondre.

— Hé! S'il vous plaît! les interpellai-je.

Mais elles continuèrent leur chemin comme si nous n'existions pas.

Le soleil tapait de plus en plus fort, l'air était brûlant, sans le moindre souffle de vent. Deux garçons et une fille en maillot de bain couraient à travers la pelouse vers une sorte de piscine dont l'eau brillait comme du métal.

Un panneau planté au bord annonçait :

BASSIN DES ALLIGATORS.

BAIGNADE AUTORISÉE.

Luc se mit à rire :

— Ils sont fous, ces trois-là!

Nous nous arrêtâmes pour les regarder entrer dans l' eau.

— Vous croyez qu'il y a vraiment des alligators?

voulut savoir Mathieu.

Je haussai les épaules :

— Je ne sais pas. D'ailleurs, je ne sais plus très bien quoi penser de ce parc!

Nous continuâmes notre marche et, une minute plus tard, je reconnus la haute montagne de la descente du destin. La place, devant, était déserte. Même l'Horreur-vendeur de crème glacée noire avait disparu. J'avais hâte de m'en aller.

— Dépêchons-nous de rejoindre l'entrée principale, dis-je. Papa et maman doivent nous attendre...

— Tu parles! s'exclama Luc. Ils nous attendent même depuis des heures! Ils sont probablement partis à notre recherche!

— Mais alors, intervint Mathieu, tout de suite inquiet, on risque de ne pas les retrouver!

— Regardez! s'exclama Luc, ce ne sont pas eux, là-bas?

Levant la main pour protéger mes yeux du soleil, je distinguai, près d'une fontaine, une femme brune et un petit homme blond.

— Oui! criai-je. Ce sont eux!

Je m'élançai joyeusement, suivie des deux garçons, en appelant :

— Papa! Maman!

Le couple se retourna, étonné. Ce n'étaient pas nos parents. Désemparée, je fis le tour de la place du regard. Il n'y avait personne. La petite voiture du marchand de crème glacée, désertée, était seule à monter la garde.

— Où peuvent-ils bien être? grogna Luc. J'ai faim, moi!

— C'est vrai, dis-je, moi aussi. Allons vers l'entrée, décidai-je. Après tout, c'est là qu'on avait rendez-vous!

À ce moment, trois employés en costume d'Horreurs surgirent de la ruelle qui traversait le village abandonné. Sans même réfléchir, je courus vers eux et demandai :

— Avez-vous vu nos parents?

Ils me regardèrent, surpris.

— Vos parents?

— Oui, dis-je. Maman porte une robe jaune et papa, une casquette des Cubs de Chicago.

Les trois Horreurs échangèrent un long regard.

— Les avez-vous vus? ajoutai-je.

— Ah oui! répondit l'une des Horreurs comme si elle se souvenait soudain. Ils sont partis. Ils ont quitté le parc il y a environ une demi-heure.

— Quoi?

— Ils ont laissé un message pour vous, continua l'Horreur.

— Un message? Quel message?

— « Au revoir! » répondit l'Horreur.

— Ce n'est pas vrai! m'écriai-je. Ils n'ont pas pu partir sans nous!

— Il y a une demi-heure, répéta l'Horreur. J'étais à la grille quand ils ont quitté le parc.

— Mais... mais... bégayai-je.

Les trois monstres continuaient tranquillement leur chemin. Après un instant de stupeur, je m'élançai derrière eux en criant :

— Attendez! C'est sûrement une erreur!

Ignorant ma remarque, ils entrèrent dans un bâtiment et la porte se referma derrière eux. Je me tournai vers Luc et Mathieu :

— Ils disent n'importe quoi! Papa et maman sont encore ici, j'en suis sûre!

— Alors, commença Mathieu, pourquoi nous assurent-ils que...

Sa voix se mit à trembler et il se tut. Il avait vraiment l'air terrifié.

Selon sa bonne habitude, Luc tenta de faire le drôle :

— Eh bien, comme ça, nous pouvons visiter le parc de fond en comble! Génial!

— Ah! ah! fis-je, sarcastique. On n'a pas un sou et on est au moins à 300 kilomètres de la maison; alors on va passer le reste de notre vie ici, c'est ça?

— On n'a qu'à téléphoner...

— Il n'y a pas de téléphone ici, murmura Mathieu.

— C'est vrai, se souvint Luc, c'est ce qu'ils ont dit à papa...

— Oui, repris-je, c'est ce qu'ils ont *prétendu*. Mais ce sont des menteurs! Ils mentent, tous!

— Tu as raison, acquiesça Luc, ça doit faire partie de leur boulot de raconter n'importe quoi aux visiteurs pour leur faire peur! C'est bien pour ça que ça s'appelle le parc de l'Horreur!

— Ils feraient mieux de l'appeler le parc des Idiots! grommela Mathieu.

— Mais non, reprit Luc en envoyant une joyeuse bourrade à son copain, c'est ça qui est génial! J'adore ça! Pas toi?

— Non, répliqua Mathieu en enfonçant ses mains au fond de ses poches.

— Bon, dis-je, puisqu'ils nous ont raconté des histoires, c'est que papa et maman sont bien ici, et qu'ils nous attendent comme prévu!

— Allons les rejoindre! s'écria Luc. Et j'espère que nous les retrouverons vite. J'ai une de ces faims, moi!

Nos parents n'étaient pas à l'entrée. Il faut dire que nous étions tellement en retard à notre rendez-vous qu'ils s'étaient sûrement mis à notre recherche.

D'un commun accord, nous décidâmes de parcourir le parc en tous sens. Nous traversâmes successivement le village des vampires, le zoo des monstres, le carnaval de la terreur, sans trouver nos parents.

Au détour d'un chemin, je m'arrêtai devant un long bâtiment jaune. Au-dessus de la porte, une pancarte annonçait :

MUSÉE DE LA GUILLOTINE.

ATTENTION À VOTRE TÊTE.

Luc voulut y entrer, mais je le tirai fermement en arrière, au grand soulagement de Mathieu.

Ce parc était étonnamment vide. Des Horreurs circulaient tranquillement le long des allées, dans leurs étranges costumes de monstres, mais on ne rencontrait que peu de visiteurs. Plus nous marchions, plus mon inquiétude grandissait. Où pouvaient bien être nos parents? Mathieu, muet et blême, avançait d'un pas mécanique. Même Luc se taisait. Quand nous nous retrouvâmes de nouveau devant le bassin des alligators, je me sentais vraiment mal. Je m'approchai jusqu'au bord et contemplai l'eau brunâtre.

— Finalement, je me demande s'il n'y a pas vraiment des alligators, murmura Luc. Tu crois qu'ils dévorent les baigneurs qui viennent nager là-dedans?

— Peut-être... répondis-je, sans vraiment l'écouter.

Je pensais à papa et maman.

— Hé, regardez! s'exclama Luc en pointant son doigt vers l'eau bourbeuse.

Deux longues bûches vert-brun dérivaient lentement vers nous. Il me fallut quelques secondes pour réaliser que ce n'étaient pas des bûches. C'étaient bien des alligators!

— Et des gros! cria mon frère, retrouvant brusquement son enthousiasme.

Je le tirai par le bras :

— On ferait mieux de reculer...

Les alligators nageaient lentement vers nous,

ridant à peine la surface de l'eau.

— Papa et maman n'ont pas pu nous laisser seuls ici, soupirai-je pour la centième fois.

— Alors, où sont-ils? Nous avons cherché partout! s'énerva Luc.

Continuant tout haut mon raisonnement, je répétai :

— Ils ne seraient jamais partis sans nous. Donc...

J'hésitai. Les pensées qui me venaient à l'esprit étaient trop inquiétantes...

— Donc? fit Mathieu d'une voix blanche.

— Donc, s'ils ne sont pas dans le parc, c'est que quelque chose leur est arrivé.

Mathieu laissa échapper un cri d'effroi.

— Qu'est-ce que tu veux dire? demanda Luc, ses yeux bleus sur moi.

— Je veux dire que cet endroit est vraiment maléfique. Et qu'il est arrivé un malheur à papa et maman.

Les alligators glissaient silencieusement vers la rive.

— C'est complètement fou, ce que tu racontes, grommela Luc.

Je savais que c'était fou. Mais ce parc me donnait la chair de poule. Et je ne trouvais pas d'autre explication.

À cet instant, deux mains puissantes me saisirent par les épaules. Quelqu'un voulait me jeter dans le bassin des alligators!

Terrifiée, je hurlai. Mais je ne tombai pas dans le bassin.

Je me retournai :

— Papa!

— Lise, enfin! Où étiez-vous donc passés, les enfants?

— Nous avons fait vingt fois le tour du parc pour vous trouver! nous reprocha maman.

— Mais nous aussi, criai-je, on vous a cherchés partout!

— Et des Horreurs nous ont dit que vous étiez partis! raconta Luc.

— On a eu très peur, ajouta Mathieu.

Nous étions tellement soulagés de nous retrouver que nous parlions tous en même temps. Et moi qui avais imaginé les situations les plus dramatiques! Ce n'est pourtant pas l'habitude de la « raisonnable Lise » de se monter la tête comme ça!

Pas de doute possible, ce parc avait réellement quelque chose de maléfique.

— Je voudrais rentrer, les implorai-je.

— Avez-vous trouvé un téléphone? s'enquit Mathieu. Avez-vous trouvé une auto?

Papa secoua la tête :

— Non. Ce type en costume de monstre n'avait pas menti, il n'y a aucun téléphone dans le parc.

— Mais, ajouta maman, ces Horreurs ont été charmantes. Elles nous ont promis de s'occuper de nous. Nous n'aurons qu'à nous présenter au guichet d'entrée quand nous voudrons repartir!

Ébouriffant tendrement les cheveux de Luc, elle demanda :

— Vous vous êtes bien amusés?

— Ah ça, oui! s'exclama Luc, on a fait des trucs terrifiants! Seulement, je meurs de faim maintenant!

Papa jeta un coup d'œil à sa montre :

— Pas étonnant, l'heure du dîner est passée depuis longtemps!

— J'ai vu des restaurants et des boutiques de sandwichs de l'autre côté du parc, se rappela maman.

— Alors, est-ce qu'on peut dîner, et partir tout

de suite après? demandai-je.

J'en avais vraiment assez de cet endroit. Je désirais laisser ce parc de l'Horreur loin derrière moi et ne plus jamais y revenir!

— Tu es bien pressée de partir, Lise, protesta papa. Ta mère et moi, nous avons passé tout notre temps à vous chercher et nous n'avons profité de rien!

— Oui, renchérit maman, faisons au moins une attraction tous ensemble avant de partir!

— Je veux m'en aller d'ici, insistai-je. Tout de suite.

Me jetant un coup d'œil étonné, maman remarqua à mi-voix :

— Ça ne te ressemble pas, Lise...

— C'est une peureuse! se moqua Luc. Une vraie poule mouillée!

— Il y a peut-être un circuit qui nous ramènerait vers la sortie? proposa papa. On fait quelque chose d'amusant tous ensemble, on dîne et on s'en va!

— Très bon plan, approuva joyeusement maman. Tu es d'accord, Lise?

— D'accord, soupirai-je. Mais les attractions ne sont pas amusantes, ici. Elles font trop peur!

— Ça fait peur à des peureuses comme toi,

ricana Luc. Mais Mathieu et moi, on s'est drôlement bien amusés, hein, Mathieu?

— J'ai eu un peu peur dans la grange aux chauves-souris, avoua celui-ci.

Nous remontâmes l'allée en direction de la rivière. Quelque part au loin, une voix de fille poussa un cri de terreur. Un loup-garou hurla et des haut-parleurs dissimulés dans les branches des arbres diffusaient de temps à autre des ricanements diaboliques.

— On se croirait dans un film d'horreur! commenta maman, ravie.

— Oui, approuva papa, leurs trucages sont vraiment excellents. C'est curieux qu'on n'ait jamais entendu parler de ce parc!

— Ils devraient faire de la publicité à la télé! Ils auraient beaucoup plus de visiteurs!

Luc courait devant. Se retournant, il nous lança :

— Papa et maman devraient essayer la pente du destin. C'est vraiment génial!

Il avait déjà oublié combien il avait eu peur! Je me contentai de murmurer :

— Ça m'étonnerait que ça leur plaise.

L'allée nous mena jusqu'à la rivière. Des millions d'insectes voletaient au-dessus de la surface de l'eau, et le soleil les faisait scintiller comme autant de paillettes dorées.

Le long d'un hangar à bateaux étaient amarrés d'étroits canots.

Un panneau annonçait :

CROISIÈRE EN CERCUEIl.

UN PAISIBLE VOYAGE VERS LA TOMBE.

— Ça doit être amusant! déclara maman.

— La rivière semble couler vers l'entrée principale. Si nous y allions? proposa papa.

Luc poussa un cri de triomphe et courut vers le quai.

Je suivis en traînant les pieds. Quand j'arrivai à mon tour sur le quai, je vis que les embarcations que j'avais prises de loin pour des canots étaient en fait des cercueils de bois noir et vernis, capitonnés de satin rouge. Un frisson glacé me courut le long du dos.

— Vous voulez vraiment naviguer dans des cercueils? demandai-je.

— Ils ont l'air confortables, remarqua maman. Regarde, Lise, comme le courant de cette rivière est lent! Il n'y a rien d'effrayant là-dedans!

— Moi d'abord! s'exclama Luc.

Deux Horreurs nous aidèrent à nous allonger dans nos cercueils.

— Bon voyage! nous lança l'une d'elles.

— Ce sera le dernier! ajouta l'autre d'une voix grave.

Elles défirent les amarres et, d'une poussée, nous éloignèrent du quai.

Je pensai : « Voilà. Je suis étendue dans mon cercueil, comme une morte... chaque membre de ma famille gît dans son cercueil... »

Nos funèbres embarcations voguaient lentement au fil de l'eau. Je contemplais, au-dessus de ma tête, le grand ciel bleu, j'écoutais le feuillage des arbres chuchoter de chaque côté de la rive.

Oui, c'était merveilleusement reposant. Alors d'où me venait cet affreux pressentiment?

Étendue sur le dos, je ne pouvais pas voir les autres cercueils, mais j'entendais le clapotis de l'eau contre leur coque. Près de moi, la voix de maman déclara :

— C'est délicieux! Vraiment reposant!

— C'est mortel! grogna la voix de Luc. Il ne se passe rien!

— Moi, lui répondit la voix de maman, je pourrais flotter comme ça des heures!

— Regardez ce qui vole, là-haut, intervint papa. Ça ressemble à une buse.

Protégeant mes yeux du soleil avec ma main, je scrutai le ciel. Juste au-dessus de nous, un grand oiseau noir planait, les ailes étendues.

— C'est un vautour, déclara Luc. Il nous observe, dans nos cercueils, en attendant le moment de nous dépecer!

Et il éclata de rire.

— Luc, protesta maman, comment peux-tu dire des choses pareilles!

— Je crois que Luc devrait se faire engager comme Horreur ici, plaisanta papa. Je le vois très bien, en costume de monstre, s'amusant à terrifier les jeunes visiteurs!

— Il n'aurait même pas besoin de costume, ricanai-je.

Je commençais à me sentir plus détendue. Cette étrange croisière avait réellement quelque chose d'apaisant. Et je me sentais en sécurité, entourée de toute ma famille.

Je restais allongée, immobile, les bras reposant de chaque côté de mon corps, contemplant rêveusement le grand oiseau qui décrivait des cercles dans le ciel si pur. L'eau clapotait joliment sur les parois du cercueil.

J'étais bien... Si bien...

Soudain, avant que j'aie pu pousser un cri, le couvercle se referma sur moi. Et l'obscurité m'enveloppa comme un linceul.

— NON!

Mon cri, assourdi par le lourd couvercle, ne pouvait alerter personne.

— Laissez-moi sortir!

Je poussai le couvercle de toutes mes forces. Rien ne bougea.

Je recommençai, poussant cette fois avec mes mains et mes pieds, sans le moindre résultat. Mon cœur battait si fort que ma poitrine me paraissait prête à exploser. Dans cet espace minuscule, l'air ne tarderait pas à manquer!

— Ouvrez-moi! Ouvrez-moi!

M'arc-boutant contre le couvercle, je tentai encore de le soulever. Mais il semblait scellé sur moi, définitivement.

À proximité, j'entendais les appels étouffés de mon frère.

Rageusement, je cognai des poings et des

pieds, faisant résonner lugubrement le bois qui m'emprisonnait. En vain.

Je décidai alors de me détendre, de respirer lentement :

« Calme-toi, Lise, me répétai-je. Ce n'est encore qu'un tour idiot comme il y en a partout dans ce parc! Calme-toi, le couvercle finira bien par s'ouvrir! »

Je me forçai à décontracter mes bras et mes jambes, puis j'attendis, les yeux grands ouverts dans le noir, espérant apercevoir bientôt le rai de lumière qui annoncerait la fin de ce cauchemar.

Je comptai lentement jusqu'à dix. Puis de nouveau jusqu'à dix.

Le couvercle ne s'ouvrait pas.

Je fermai les yeux et décidai de compter jusqu'à cinquante. Je m'encourageais : « Lorsque j'aurai atteint cinquante, j'ouvrirai les yeux et le couvercle aura bougé! »

Vingt et un, vingt-deux, vingt-trois...

Je m'efforçais de prononcer les mots sans hâte, en empêchant ma voix de trembler, même si l'air commençait à manquer et si j'avais du mal à respirer.

À vingt-cinq, n'y tenant plus, j'ouvris les yeux.

Mais le couvercle était toujours fermé.

Il faisait atrocement chaud. Le soleil, qui tapait si fort, dehors, transformait en étuve l'horrible boîte dont j'étais prisonnière. J'haletais maintenant, sans réussir à fournir à mes poumons la ration d'oxygène dont ils avaient besoin.

« Je vais mourir étouffée! » pensai-je, sentant la sueur dégouliner sur mon visage et sur mon corps.

Du dehors, des appels me parvenaient, lointains, assourdis, angoissés. Était-ce ma mère qui criait ainsi? J'essayai de me répéter : « Ce n'est qu'une attraction idiote! Souviens-toi, à chaque fois tu as cru ta dernière heure arrivée! Tu vas voir, dans un instant, le couvercle va s'ouvrir et... »

Mais le couvercle ne s'ouvrait pas.

Et si cette fois le panneau disait vrai? Et si nous étions vraiment embarqués pour notre dernier voyage?

Malgré l'atroce chaleur et la sueur qui baignait mon corps, j'étais maintenant glacée. Je grelottais comme si j'avais la fièvre.

Mon cercueil dansait légèrement suivant les remous de la rivière. Je fis encore une tentative désespérée pour repousser le couvercle, puis laissai retomber mes bras, vaincue.

J'aspirai à petits coups des bouffées d'air épais, la bouche ouverte comme un poisson hors de l'eau.

Soudain, quelque chose me chatouilla la cheville. Cela remontait le long de ma jambe. C'était petit, c'était vivant et ça courait sur moi...

Une araignée!

Je voulus chasser la bête, mais mon bras n'était pas assez long et je ne pouvais ni me relever ni me pencher sur le côté, emprisonnée dans cette boîte étroite.

La démangeaison se fit plus vive. L'araignée m'avait-elle piquée?

Prise de terreur, j'ouvris la bouche prête à hurler...

Et le couvercle s'ouvrit.

Éblouie par le soleil, je fermai les yeux.

Je m'assis dans ma drôle d'embarcation et vis Luc, Mathieu, mes parents, qui émergeaient à leur tour, clignant des paupières et l'air passablement ahuri.

Je me grattais férocement la jambe, mais il n'y avait pas trace de piqûre sur ma peau, pas d'araignée courant sur le revêtement de satin, pas le moindre insecte, d'aucune sorte.

Nos cercueils dérivaient doucement vers une sorte de quai. Agrippant les deux bords, je me levai et sautai à terre.

— Sortons vite de là! s'écria Mathieu.

Derrière lui, maman répétait d'une petite voix fêlée :

— C'était horrible, horrible!

Luc ne disait rien, le visage blême, les cheveux collés par la sueur.

— Ils vont vraiment trop loin! déclara papa avec colère. Je vais déposer une plainte.

Debout sur le quai, nous reprenions notre souffle. La rivière nous avait ramenés du bon côté : au bout de l'allée, on apercevait la grille d'entrée du parc.

Papa s'y engagea d'un pas décidé :

— Retournons au guichet, je vais leur dire ce que je pense de leurs attractions!

— C'est vrai, approuva Mathieu. Cette fois, c'était pire que tout!

— Ma jambe me démange, grogna Luc. J'avais l'impression d'être dévoré par des tas de fourmis rouges!

— Moi, j'ai cru que c'était une araignée! déclarai-je.

— Je me demande comment ils font ça,

murmura Luc, pensif.

— Connaître leurs trucages ne m'intéresse pas, répliquai-je. Je n'ai plus qu'une envie : sortir d'ici tout de suite! Je déteste cet endroit!

— Moi aussi, approuva Mathieu.

— Oui, vraiment, je trouve qu'ils vont trop loin, ajouta maman, qui trottait derrière nous, légèrement essoufflée. Ce n'est pas amusant d'avoir peur à ce point! J'ai cru que j'allais mourir étouffée!

— Et moi donc! ajoutai-je.

— Hé! s'écria soudain Luc, mais comment allons-nous retourner à la maison? Nous n'avons plus de voiture.

— L'une des Horreurs, à l'entrée, nous a dit qu'on nous prêterait une voiture, rappela papa.

— Alors on pourra s'arrêter quelque part pour manger une pizza?

— Partons d'abord d'ici, grogna papa, et après on s'occupera de nos estomacs!

Le rond-point, devant l'entrée, était totalement désert. Je vis papa se diriger vers le guichet, s'arrêter, puis tourner la tête vers nous, décontenancé :

— C'est fermé!

Je m'approchai. En effet, une grille fermait

l'ouverture et la guérite était vide.

— C'est bizarre, murmura Luc.

— Comment ça se fait? s'interrogea maman. Il est encore tôt!

Papa, rouge et essoufflé, essuya son front en sueur d'un revers de main :

— Il doit bien y avoir quelqu'un...

Mais nous avions beau nous tourner dans toutes les directions, il n'y avait personne en vue, ni Horreurs, ni visiteurs. À croire que nous étions les seuls êtres vivants dans ce parc.

— Enfin quoi! Ils n'ont tout de même pas tous disparu! grommela papa.

Maman se rapprocha craintivement de lui et le prit par le bras :

— C'est étrange, dit-elle. Tu es sûr qu'on ne s'est pas trompés d'entrée?

— Tout à fait sûr, regarde : c'est bien la grille par laquelle nous sommes arrivés!

— Alors, où sont les gens?

— Si on allait voir sur le stationnement? suggérai-je. On trouvera peut-être quelqu'un!

— Bonne idée, Lise, approuva papa en me tapotant le dessus de la tête comme si j'étais une gentille petite bête.

Je m'attendais à entendre mon frère

s'esclaffer, mais il ne fit pas le moindre commentaire. J'en déduisis qu'il était plus inquiet qu'il ne le laissait paraître.

— Allons-y, déclarai-je.

Je passai en courant devant la guérite vide. Les hautes grilles de l'entrée n'étaient plus qu'à quelques mètres.

Je vis alors un écriteau que je n'avais pas remarqué en arrivant :

SORTIE INTERDITE.
ON NE QUITTE PAS VIVANT
LE PARC DE L'HORREUR.

J'émis un petit ricanement sarcastique :

— Décidément, ils n'en manquent pas une!

J'atteignis la grille la première et tirai sur la poignée. Elle résistait.

Je tirai encore. La grille ne s'ouvrait pas. C'est à ce moment que je remarquai la lourde chaîne et l'énorme cadenas. J'avalai difficilement ma salive avant de me tourner vers les autres :

— On est enfermés!

— Quoi?

Papa me regardait, croyant sans doute que je voulais leur faire une blague. Mais ce n'était pas une blague.

— Nous sommes enfermés, répétai-je.

Je soulevai à deux mains l'énorme cadenas et le laissai retomber. Il sonna contre le métal de la grille comme un coup de gong.

— Enfin, c'est impossible! cria maman, au bord de l'hystérie. Ils ne peuvent tout de même pas enfermer les gens comme ça!

— C'est sans doute encore un de leurs trucs, râla Luc.

Puis, essayant de plaisanter, il ajouta :

— Je ne sais pas si vous avez remarqué, ils essaient tout le temps de nous faire peur!

Mais personne ne rit.

— Il y a sans doute une autre sortie, suggéra

maman d'une voix plus calme.

— Peut-être, répondit pensivement papa. Mais je n'en ai vu aucune...

— Qu'est-ce qu'on va faire? murmura Mathieu.

— Il y a quelqu'un? cria Luc.

Personne ne répondit. Luc se mit à gémir :

— Ils doivent nous laisser sortir! Ils n'ont pas le droit de nous enfermer!

Cette fois, mon pauvre petit frère paraissait au bord des larmes. Papa lui entoura les épaules de ses bras :

— Calme-toi, Luc, il n'y a pas de raison de s'affoler. Ce n'est qu'un parc d'attractions; nous ne sommes pas en danger!

— Bien sûr que non, appuya maman en se forçant à sourire. Et dès qu'on sera sortis d'ici, on ira se réconforter autour d'une bonne pizza, promis!

— Et on rigolera bien de toutes nos aventures au parc de l'Horreur, ajouta papa. Je suis sûr que tu vas le conseiller à tous tes copains!

— Oui, dit Luc en reniflant, mais comment va-t-on sortir?

— Eh bien... fit papa en se grattant le menton.

— Et si on essayait d'escalader la grille?

proposai-je.

Nous levâmes tous les yeux en même temps.

La grille était exceptionnellement haute et son sommet était hérissé de piques pointues comme des lances.

— Je ne pourrai jamais! s'exclama Mathieu.

— C'est trop haut, murmura maman.

Je dus reconnaître que c'était une mauvaise idée.

À ce moment, un nuage obscurcit le soleil et nos ombres s'effacèrent sur le sol. Un coup de vent froid nous surprit. Je frissonnai.

— Il doit sûrement y avoir un moyen de sortir de ce stupide parc! criai-je en flanquant un coup de pied rageur dans le portail de fer qui résonna lugubrement.

— Ne perds pas ton calme toi aussi, Lise, dit papa. Nous allons tâcher de trouver un de ces employés en costume de monstre et il nous montrera la sortie.

Luc tira notre père par la manche.

— Heu... papa... justement, il... il y en a qui viennent!

Nous nous retournâmes.

Oui, ils étaient là. Les monstres. Des dizaines d'Horreurs arrivaient de tous les côtés, marchant vers nous d'un pas lent, sans prononcer un mot.

Un spasme de terreur me tordit l'estomac. Paralysée, je les regardais s'approcher, nous encerclant lentement, silencieusement, menaçants.

Alors Mathieu poussa un hurlement :

— Qu'est-ce qu'elles veulent...? Qu'est-ce qu'elles veulent nous faire?

Serrés les uns contre les autres, nous regardions les Horreurs s'avancer vers nous. Dans le silence oppressant, on n'entendait que le bruit feutré de leurs pas sur le gravier.

— Elles sont des dizaines, murmura maman.

D'une main, elle agrippait le bras de papa, de l'autre, elle m'entourait les épaules pour me serrer contre elle.

Adossés à la grille de fer, encerclés de toutes parts, nous ne pouvions plus échapper à ces monstres verts aux faces ricanantes, aux gros yeux jaunes, où luisaient des lueurs cruelles. Elles s'arrêtèrent à quelques pas de nous. Le soleil restait caché derrière les nuages et, dans le ciel sombre, au-dessus de nos têtes, deux grands oiseaux noirs planaient, les ailes étendues. L'un d'eux poussa un cri rauque qui retentit lugubrement dans le silence.

Collée à maman, je tremblais de tout mon corps. Prenant une grande inspiration, je criai soudain :

— Qu'est-ce que vous voulez?

Je ne reconnus pas le son de ma voix. L'une des Horreurs s'avança d'un pas. Terrifiée, je voulus reculer. Mais mon dos heurta les montants de fer de la grille.

D'une voix tremblante, je répétai :

— Qu'est-ce que vous voulez à la fin?

L'Horreur nous dévisageait un à un.

— Nous voulons vous remercier, dit enfin le monstre.

Et sa bouche se fendit en un large sourire.

— Quoi?

— Je suis le directeur du parc de l'Horreur. Et je tiens à vous remercier, en notre nom à tous, d'avoir bien voulu être nos invités aujourd'hui!

Luc, à demi caché derrière papa, montra son visage. Il était étonné.

— Alors on... on peut partir, maintenant?

— Bien sûr, déclara l'Horreur d'une voix chaleureuse. Mais d'abord, acceptez nos sincères remerciements pour avoir participé à notre émission « La caméra cachée du parc de l'Horreur»!

Des rires, des bravos et des applaudissements montèrent du groupe des monstres. Fronçant les sourcils, papa demanda :

— Vous voulez dire que... c'était du cinéma?

L'Horreur-directeur désigna, de son espèce de patte verdâtre, de hauts pylônes dissimulés entre les arbres :

— Vous voyez les caméras?

— Wow! On va passer à la télé! cria Luc.

— Depuis votre arrivée sur le stationnement, nos caméras vous ont filmés à chaque instant, de l'explosion de votre voiture à vos essais désespérés pour ouvrir cette grille. Et je peux vous assurer que ce sera une de nos meilleures émissions!

Cette explication ne parut pas satisfaire entièrement papa, qui demanda, quelque peu agressif :

— Si c'est une émission de télé, comment se fait-il qu'on n'en ait jamais entendu parler?

— Vous pouvez pourtant regarder notre émission chaque fin de semaine sur Canal Horreurs!

Les traits de papa se détendirent :

— Ah, je comprends. C'est que... nous n'avons pas le câble.

— C'est dommage parce que vous manquez des émissions délicieusement horribles! Enfin, encore une fois, bravo! Vous avez fait preuve d'un exceptionnel esprit sportif! Et pour vous remercier de votre participation involontaire, nous avons le plaisir de vous offrir une nouvelle voiture qui vous attend dès maintenant sur le stationnement!

Nouveaux bravos, nouveaux rires, et nouveaux applaudissements.

— Une voiture neuve! Super! s'exclama Luc.

— Et maintenant, intervint timidement Mathieu, on peut s'en aller?

L'Horreur-directeur hocha la tête :

— Bien sûr! La véritable sortie est par ici.

Il désigna une petite porte jaune, au centre d'un bâtiment sans fenêtres que j'avais pris pour une remise.

— Passez par là, ajouta l'Horreur, et merci encore pour votre participation!

Accompagnés par des applaudissements nourris, nous nous dirigeâmes vers la porte jaune.

— Ça alors! On était filmés! Je n'arrive pas à y croire! murmura maman.

— Et on a gagné une voiture! cria Luc en

sautant de joie.

Il envoya une grande claque dans le dos de Mathieu, qui vacilla sous le choc. J'éclatai de rire. Ça faisait plaisir de retrouver mon bon vieux petit frère!

— Papa, s'exclama-t-il, on va s'abonner au câble, hein? Je veux regarder le canal des Horreurs. Les émissions qui y passent doivent être effrayantes! J'adore ça!

— Il faut même qu'on s'abonne tout de suite si on veut se voir à la télé! approuva maman.

Je passai devant et courus ouvrir la porte jaune. Je pénétrai dans une grande salle aux murs nus, éclairée par une vive lumière.

— C'est ça, la sortie? demandai-je, étonnée.

À peine étions-nous tous les cinq à l'intérieur que la porte se referma derrière nous avec un claquement sourd qui me fit sursauter. Brusquement, la lumière s'éteignit. Et une voix sardonique tomba d'un haut-parleur :

— Bienvenue à la dernière course du parc de l'Horreur!

— Quoi? balbutiai-je, écarquillant les yeux pour tenter de percer l'obscurité.

La voix reprit :

— Vous avez une minute pour gagner la

course contre les Monstres! Mais cette fois, ce n'est pas un jeu! Vous courez pour votre vie!

Oh, non! Ce n'était pas possible! Le cauchemar n'allait pas recommencer...

— Qu'est-ce que... qu'est-ce que c'est que cette histoire? bégaya maman.

— On s'est fait avoir! expliqua papa, la voix vibrante de colère. Fichons le camp d'ici!

Un panneau avait glissé dans le mur du fond, et on apercevait un long couloir à peine éclairé.

— Courez! ordonna la voix dans le haut-parleur. Vous avez une minute!

Une espèce de grognement sourd retentit alors derrière nous. Je me retournai. Debout dans l'ombre, un monstre de la taille d'un gorille, le corps recouvert d'une épaisse fourrure verdâtre, ouvrait une gueule garnie de crocs pointus comme des poignards et dégoulinants de salive.

Impatiente, la voix cria dans le haut-parleur :

— Courez! Il vous reste cinquante secondes pour sauver votre vie!

Le monstre poussa un grognement menaçant

et leva ses grandes pattes, déployant des griffes redoutables. J'étais trop stupéfaite pour bouger, trop terrifiée pour courir.

Une main saisit fermement la mienne. C'était papa qui m'entraînait avec lui. J'entendais, dans la pénombre, les hurlements de terreur des garçons et un drôle de petit sanglot essoufflé, celui de maman sans doute, courant aveuglément droit devant elle, comme nous tous pour sauver notre vie!

Le monstre était sur nos talons; je sentais son souffle aigre dans mon cou. Il rugit de nouveau et je couvris mes oreilles de mes mains, sans cesser de courir.

Où menait ce couloir? On n'en voyait même pas le bout.

Soudain, devant moi, deux énormes oiseaux noirs à tête de vautour s'élevèrent en remuant l'air de leurs lourdes ailes, avec un bruit de toile de tente agitée par le vent.

— Au secours!

Était-ce vraiment moi qui avais crié ainsi? Étaient-ce ces énormes ailes chaudes qui m'enveloppaient et me balayaient le visage? Les oiseaux disparurent comme ils étaient venus, mais j'entendis alors papa hurler de terreur à côté de moi. Il se battait avec une chose immonde qui, dans la lumière blême qui baignait le corridor, me parut être un monstre à deux têtes et quatre bras.

— *Non!* criai-je, tandis qu'une chose visqueuse s'enroulait autour de ma cheville.

Un serpent?

— Courez! nous intima la voix. Plus que vingt secondes pour sauver votre vie!

Qu'est-ce qui pouvait grésiller ainsi à mes oreilles? On aurait dit des milliers de guêpes furieuses rebondissant comme la grêle sur mes joues, mon cou, mes mains...

— Au secours!

Cette fois, je reconnus la voix de Luc, quelque part en avant.

— Plus que dix secondes! lança la voix.

Je ne pouvais plus courir! Je n'arriverais pas à me sauver!

Deux pattes puissantes me saisirent à bras le corps et me jetèrent violemment à terre. Le choc me coupa la respiration. Comme je relevais la tête, tâchant de retrouver mon souffle, je vis devant moi l'ombre d'une gigantesque créature, de la taille d'un éléphant. Elle levait son énorme patte pour m'écraser comme un insecte.

« Non, pensai-je, je n'y arriverai pas... »

24

La patte restait comme suspendue au-dessus de ma tête. Le monstre prenait tout son temps. J'avais l'impression d'être moi-même une image dans un film au ralenti.

Je voulais bouger, je voulais rouler sur le sol pour m'échapper. Mais ma chute brutale m'avait coupé le souffle et je n'avais plus de force.

Je fermai les yeux, attendant d'être écrasée. Et... rien ne se passa.

Le battement à mes tempes était si fort qu'il me semblait résonner tout le long du corridor. Étais-je encore vivante? Ou bien rêvais-je seulement que j'étais en vie?

Le haut-parleur crachota et la voix reprit :

— Bravo! Quelle magnifique course!

Ouvrant les yeux, je vis que les monstres, autour de moi, avaient disparu.

— Ce fut une superbe lutte pour la vie!

commenta la voix. Combien comptons-nous de survivants?

De survivants? Qu'est-ce que ça voulait dire?

— Trois! s'exclama la voix, enthousiaste. Bravo! Trois survivants sur cinq!

Un frisson glacé me parcourut le corps. *Trois sur cinq?*

Est-ce que cela voulait dire que deux d'entre nous étaient... morts?

Mes poumons me brûlaient, mes genoux tremblaient. Je scrutai la demi-obscurité à la recherche de mes compagnons. Un peu plus loin, j'aperçus Luc et Mathieu. Ils semblaient tituber, se soutenant mutuellement.

Je tentai de les appeler, mais ne réussis à émettre qu'un faible cri étranglé :

— Hé!

Où étaient papa et maman? Avaient-ils été tués par les monstres? *Trois sur cinq. Trois sur cinq...*

Cette fois, un véritable hurlement sortit de ma gorge, une clameur d'épouvante qui résonna longuement contre les murs :

— Nooooon!

Mais la voix retentit à nouveau dans le haut-parleur :

— Une légère erreur a été commise : nous comptons cinq survivants sur cinq! Oui, cinq sur cinq! C'est un record! Et cela mérite nos plus chaleureux applaudissements!

Je poussai un profond soupir. Papa et maman étaient sains et saufs!

Je les vis alors, devant moi, entourant de leurs bras Luc et Mathieu. Je me précipitai vers eux :

— Nous allons bien! Nous leur avons échappé! Nous sommes vivants!

Papa me serra contre lui et je sentis qu'il tremblait.

— Et maintenant, demanda Luc, est-ce qu'ils vont nous laisser partir?

— Ils n'ont aucun droit de nous garder plus longtemps, lui répondit papa. Émission de télé ou pas, ça dépasse vraiment les bornes! ajouta-t-il, furieux.

— Mais ces monstres étaient vrais! m'écriai-je. Ce n'étaient pas des effets spéciaux, j'en suis sûre!

— Tu crois? fit Luc d'une drôle de petite voix.

À ce moment, une lumière vive s'alluma, puis

le sol du corridor s'inclina et nous emporta.

Nous glissions comme sur un toboggan.

Soudain, une porte s'ouvrit. Tandis que nous atterrissions l'un après l'autre sur un talus herbeux, à l'extérieur, la voix enthousiaste reprit :

— Applaudissons nos gagnants, ils l'ont bien mérité!

La troupe des Horreurs nous attendait, souriant et battant des mains.

Donnant libre cours à ma colère, je criai :

— Vous n'avez pas le droit de faire des choses pareilles! Non, vous n'avez pas le droit!

Me jetant sur l'Horreur la plus proche, je saisis son masque à deux mains et tirai de toutes mes forces en répétant :

— Vous n'avez pas le droit! Enlevez ces masques ridicules! Montrez-nous vos vrais visages...

Ma colère tomba d'un seul coup. Les mots moururent sur mes lèvres tandis que je découvrais l'affreuse vérité.

Ce n'était pas un masque. Ces monstrueux visages verts étaient leurs vrais visages. Les Horreurs n'étaient pas costumées. Elles *étaient* des Horreurs.

Je reculai lentement, levant mes mains comme pour me protéger, bégayant, effarée :

— Des monstres! Vous êtes des monstres!

Les Horreurs secouaient la tête, souriant horriblement. Leurs vilains yeux proéminents lançaient des lueurs cruelles.

Alors je me mis à hurler :

— Pourquoi avez-vous menti? Pourquoi avez-vous inventé cette stupide histoire d'émission télévisée?

L'Horreur dont j'avais tenté d'arracher le masque me regarda d'un air amusé :

— Mais il s'agit *vraiment* d'une émission télévisée! Le canal de l'Horreur est regardé par plus de deux millions de monstres à travers le monde!

— Mais... balbutiai-je, reculant d'un pas.

— Les gens ne prennent pas notre existence au sérieux, continua l'Horreur. Ceux qui découvrent le parc croient à une gigantesque plaisanterie. Ils rient en lisant nos panneaux d'avertissements. Mais tout cela est sérieux. Extrêmement sérieux.

Papa leva un poing menaçant :

— Vous n'avez pas le droit de prendre ainsi en otage des visiteurs innocents, de les torturer, de les terrifier! Vous n'avez pas le droit...

L'Horreur lui coupa la parole :

— Nous sommes désolées de vous interrompre, mais le moment est venu de prendre congé de nos hôtes si courageux!

Insensiblement, la troupe des Horreurs nous avait encerclés et elle nous poussait maintenant vers quelque chose qui ressemblait à un bassin rond rempli d'une sorte de boue écarlate.

Que faire? Elles étaient plus nombreuses que nous! Nous ne pouvions pas résister. Muettes, menaçantes, elles nous menèrent, comme un troupeau soumis, jusqu'au bord du bassin.

Une odeur écœurante montait de l'épais

liquide pourpre, et de grosses bulles venues d'on ne sait quelle profondeur crevaient par instants à la surface avec un affreux bruit de succion.

— Laissez-nous partir! hurla Luc. Je veux retourner à la maison!

Ignorant ses cris, l'Horreur-directeur déclara d'une voix solennelle :

— C'est toujours difficile de se séparer. Aussi avons-nous imaginé une façon amusante de vous dire au revoir!

— Laissez-nous partir, gémit Luc.

Papa l'entoura de ses bras pour l'apaiser. L'Horreur ramassa un gros caillou sur le sol et l'éleva au-dessus du bassin.

— Regardez, dit-elle.

Elle lâcha le caillou, qui fut aussitôt aspiré et disparut sous l'épaisse surface pourpre sans laisser la moindre trace.

— Vous voyez comme c'est facile! dit l'Horreur en se tournant vers nous, un sourire sur sa face de monstre.

Puis elle ajouta :

— Préférez-vous sauter ou souhaitez-vous que l'on vous pousse?

Les Horreurs semblaient maintenant attendre notre réponse, immobiles, silencieuses.

En voulant reculer, Mathieu buta sur mon pied, perdit l'équilibre et faillit tomber dans la fosse infecte. Je le rattrapai vivement par le bras. Il n'avait même pas crié.

Tous les cinq, nous restions là, au bord du bassin, pétrifiés. L'odeur putride me donnait envie de vomir. Soudain, comme une petite fille, je sanglotai :

— Maman!

Seulement, maman ne pouvait rien faire pour moi. Personne ne pouvait rien faire pour nous. Instinctivement, nous nous étions pris par la main. Nous étions perdus et nous le savions.

— Préférez-vous sauter, répéta l'Horreur, ou préférez-vous que l'on vous pousse?

— Je suis désolé, murmura papa, ignorant

les monstres qui nous serraient de toutes parts. Je... je ne savais pas...

Sa voix se brisa.

— Ce n'est pas ta faute, papa, dis-je en lui serrant la main.

Et comme je lui serrais la main, il me vint une idée.

C'était une idée stupide, une idée folle, une idée insensée.

Mais c'était ma seule idée.

Je me rappelai les paroles prononcées à un moment : « Les gens rient en lisant les panneaux d'avertissements. Mais tout cela est sérieux. Extrêmement sérieux... »

Oui, c'est ce que le monstre avait dit : « Tout cela est sérieux... »

Et il était là, à côté de moi, attendant que je saute dans l'horrible boue, attendant de me voir aspirée jusqu'au fond et engloutie à jamais, comme le caillou qu'il avait lancé un instant plus tôt...

Oui, c'était une idée folle. Mais c'était notre dernière chance.

Je m'approchai du monstre et, saisissant la peau de son bras entre le pouce et l'index, je le pinçai de toutes mes forces.

Les yeux écarquillés, l'Horreur ouvrit la bouche et un hurlement strident en sortit. Alors je lançai le cri de guerre de Luc :

— Gare à vous, voilà le pinceur fou!

— Noooon! hurla le monstre.

Et soudain, l'air sortit de sa bouche, il se dégonfla comme un ballon et, en une seconde, il ne resta plus sur le sol qu'une enveloppe vide, une vieille peau verte toute flasque.

Un cri d'effroi monta du groupe des Horreurs et elles se mirent à reculer.

— Pincez-les! ordonnai-je. Pincez-les! Et elles vont toutes se dégonfler comme des ballons troués!

Mais les Horreurs, une fois passé le premier étonnement, s'avançaient de nouveau vers nous, menaçantes.

J'encourageai ma famille de plus belle :

— Pincez-les! Rappelez-vous la pancarte : « Il est formellement interdit de pincer »! Pour eux, c'est sérieux! Si vous les pincez, ça les détruit!

Pschiiit!

Luc venait de faire sa première victime. Pschiiit! Pschiiit!

Les uns après les autres, les monstres se dégonflaient, tombaient sur le sol comme de vieux sacs vides. Les rescapés s'enfuyaient avec des cris d'effroi.

En une minute, la place était vide.

— Vous avez vu? m'écriai-je, triomphante, ayant du mal à y croire moi-même.

Tous les cinq, mi-riant mi-pleurant, nous nous embrassions, nous dansions de joie.

— Fichons le camp d'ici, maintenant! dit enfin Luc.

Au bout de la place, une grille était ouverte, qui donnait sur le stationnement. Nous nous élançâmes en courant.

Soudain, une idée m'arrêta en pleine course :

— Nous n'avons plus de voiture!

Je me sentis brusquement abattue, à plat, comme l'une des Horreurs qui gisaient à terre. Totalement dégonflée!

— Comment va-t-on faire? demanda Luc. On

peut difficilement rentrer à pied, on est à des centaines de kilomètres de la maison!

— Là-bas! s'exclama maman, montrant du doigt l'extrémité du stationnement. Là-bas, il y a l'autobus du parc!

— Avec un peu de chance, murmura papa, la clé est sur le tableau de bord!

— Oui, dis-je pleine d'espoir, avec un peu de chance...

— Courons! lança alors Luc, ils arrivent!

En effet, les Horreurs qui restaient avaient rassemblé leur courage et reprenaient la poursuite.

— Vous ne nous échapperez pas! hurla l'un des monstres. Personne n'a jamais quitté vivant le parc de l'Horreur!

Les Horreurs à nos trousses, hurlantes et menaçantes, nous courûmes à toute vitesse jusqu'à l'autobus.

Mon cœur cognait si fort que ses battements semblaient faire autant de bruit que mes chaussures frappant le sol de ciment.

— Vous ne vous échapperez pas!

— Rendez-vous!

Les cris furieux des monstres résonnaient maintenant juste dans notre dos.

Par chance, la portière de l'autobus était ouverte. Papa grimpa le premier, puis tendit la main à maman pour la tirer derrière lui. Luc, Mathieu et moi, nous montâmes en même temps, sans savoir comment. La peur sans doute...

— Papa, demandai-je, et les clés?

— Elles sont là! s'écria papa. Cramponnez-vous, les enfants, on démarre!

Le moteur toussa, ronfla, et le lourd engin parcourut le stationnement en marche arrière. Il vira sur la route. Écrasant à fond la pédale de l'accélérateur, papa lança l'autobus à la vitesse maximale.

Hors d'haleine, je me laissai tomber sur un siège à côté des garçons.

Ceux-ci, le visage écrasé contre la vitre, criaient :

— Plus vite, plus vite! Ils nous poursuivent!

Malgré le grondement du moteur, j'entendais les monstres crier de colère devant notre fuite. Bientôt, les cris diminuèrent et les Horreurs ne furent plus que de minuscules taches vertes gesticulant dans le lointain.

— On les a eues! lança papa, qui leva triomphalement les deux bras.

— Hourra! cria le reste de la famille.

Puis papa se concentra sur sa conduite et battit certainement, ce soir-là, sur les routes désertes, tous ses records d'excès de vitesse! Le retour nous prit des heures, mais au cours du voyage, nous célébrâmes notre victoire sur les monstres en chantant, en nous bousculant joyeusement, en racontant tour à tour les blagues les plus idiotes qui nous faisaient hurler de rire.

La nuit était tombée quand papa stationna enfin le véhicule sur le trottoir, devant chez nous.

— Nous voilà de retour! soupirai-je avec bonheur, tandis que la portière s'ouvrait en chuintant.

Dehors, l'air était frais et parfumé. L'herbe de la pelouse reflétait paisiblement la lumière de la pleine lune.

C'est alors que je la vis.

L'Horreur descendait du toit de l'autobus où elle avait dû s'accrocher pendant tout le trajet.

— Oh non! balbutiai-je.

— Qu'est-ce que vous faites là? questionna papa, menaçant.

Le monstre vert s'avança. Ses yeux jaunes luisaient étrangement dans l'obscurité. Mathieu et Luc se réfugièrent derrière papa tandis que maman le regardait s'approcher, pétrifiée. D'une voix suraiguë, je lançai :

— Qu'est-ce que vous voulez?

L'Horreur tendit sa large main verte :

— Vous avez oublié vos entrées gratuites pour l'année prochaine...